Annelies Sch

Meine Oma lebt

Für meine Enkelkinder

Annelies Schwarz wurde in Trautenau, Böhmen, geboren. Zur Schule ging sie in Gößnitz und Hannover. Sie studierte Pädagogik und bildende Kunst und war in Berlin und Bremerhaven als Lehrerin und freischaffende Malerin tätig. 1972 bis 1980 hatte sie einen Lehrauftrag für Spiel und Kindertheater in Bremen.
Annelies Schwarz unternahm mehrere Reisen nach Ghana und arbeitete mit ghanaischen Künstlern in verschiedenen Projekten zusammen. Eine ihrer Afrika-Reisen führte sie auch zur afrikanischen Großmutter ihres Enkelkindes. Sie lebt heute in der Nähe von Bremen.
Bei Beltz & Gelberg erschien von ihr außerdem *Besuch aus Afrika!*, die Fortsetzung von *Meine Oma lebt in Afrika* (zurzeit nur in Bibliotheken).

Annelies Schwarz

Meine Oma lebt in Afrika

Mit Bildern von
Marlies Rieper-Bastian

Editorische Notiz
Meine Oma lebt in Afrika erschien 1994 erstmals unter dem Titel *Ich habe eine Oma in Afrika* mit Illustrationen von Nora Matocza. Für die Taschenbuchausgabe wurde das Buch neu ausgestattet.

Ebenfalls lieferbar: »Meine Oma lebt in Afrika« im Unterricht in der Reihe *Lesen – Verstehen – Lernen*
ISBN 978-3-407-62791-9
Beltz Medien-Service, Postfach 10 05 65, 69445 Weinheim
Kostenloser Download: www.beltz.de/lehrer

Dieses Buch ist auch als E-Book erhältlich
(ISBN 978-3-407-74576-7)

www.beltz.de

in der Verlagsgruppe Beltz • Weinheim Basel
Werderstr. 10, 69469 Weinheim

Neue Rechtschreibung
Einbandgestaltung: Max Bartholl
Einbandbild: Marlies Rieper-Bastian
Gesamtherstellung: Beltz Bad Langensalza GmbH, Bad Langensalza
Printed in Germany
ISBN 978-3-407-78284-7
20 21 16 15

Ich habe eine Oma in Afrika

Ich fliege zu meiner Oma in Afrika!

Mein Freund Flo fliegt auch mit. Er sitzt auf dem Fensterplatz rechts neben mir. Papa sitzt auf meiner linken Seite. Er hält schon eine ganze Zeit lang die Augen geschlossen und drückt eine Hand auf seinen Magen. Die Turbulenzen über dem Mittelmeer machen ihm wohl zu schaffen. Mir nicht und Flo auch nicht. Wir finden es sogar schön, wenn das Flugzeug schaukelt und sich nach einem Luftloch wieder fängt. Auch das Kribbeln im Bauch mag ich.

Bald werden wir die Nordküste von Afrika überfliegen. Flo guckt angestrengt aus dem Fenster, um als Erster den Anfang von Afrika zwischen den weißen Wolken zu entdecken.

Mir tut Papa leid. Er hat sich so auf die Reise nach Afrika gefreut und jetzt ist ihm übel.

»Papa, wenn wir über Afrika fliegen, gibt es bestimmt keine Turbulenzen mehr. Du wirst sehen, dann fliegt das Flugzeug ganz ruhig«, versuche ich ihn zu trösten. Aber Papa reagiert nicht. Er ist eingeschlafen. Da zieht mich Flo zu sich hinüber.

»Guck mal, Eric, da fängt es an! Da unten ist Afrika!«

Ich dränge mich dicht neben ihn. Den Anfang von Afrika will ich nicht verpassen.

»Da, siehst du den Strand von Tunesien?«, schreit Flo in mein Ohr.

Ich erkenne durch die vorbeischwebenden weißen Wolkenberge das Wasser unter uns. Wir scheinen über einen langen Streifen von Schaumkronen zu fliegen. Oder ist das wirklich schon der Strand von Tunesien? Lange, helle Linien laufen in das Land hinein, schlängeln sich wie Serpentinen in eine Gebirgslandschaft. Das sind Straßen!

Ich berühre Papas Arm.

»Papa, wir fliegen jetzt über Afrika!«

Er öffnet seine Augen.

»Das ist gut«, sagt Papa, »wir fliegen nach Hause.«

Sind da nicht Tränen in seinen Augen?

Kommen sie, weil ihm so übel ist? Oder ist es die Freude darüber, dass er heute zum ersten Mal seit zwölf Jahren in Deutschland wieder nach Hause fliegt?

Wenn Mama jetzt dabei wäre! Sie würde sich genauso freuen wie Papa und ich. Sie würde neben uns sitzen und sich mit mir zusammen den Anfang von Afrika von oben ansehen. Aber Mama konnte nicht mitreisen. Sie musste zu Hause in Deutschland bleiben, weil sie ganz plötzlich einen dringenden Auftrag für ihre Firma zu erledigen hatte. Für sie durfte Flo mitfliegen. Das ist natürlich auch toll. Wie es überhaupt zu unserer Reise kam? Am besten, ich erzähle es der Reihe nach.

Angefangen hat alles eigentlich im Maisfeld.

Das Maisfeld liegt ein Stück hinter Oma Gretes Haus. Oma Grete ist Flos Lieblingsoma. Sie lebt auf dem Land. Ein paar Kilometer außerhalb unserer Stadt bewohnt sie ein kleines Bauernhaus. Flo und ich dürfen im Sommer sehr viele Wochenenden bei ihr verbringen. Den ganzen Tag können wir draußen im Garten oder auf den Wiesen spielen. Und manchmal helfen wir Oma Grete auch. Das Maisfeld hinter ihrem Haus gehört Heinrich Meier, einem Bauern aus der Nachbarschaft.

Es geschah an einem sonnigen Tag im August. Flo kroch vor mir durch die Maisstauden. Niemand konnte uns sehen, weil die Pflanzen schon so hoch waren.

Im Feld war es ganz still. Nur wenn ein Schwarm Spatzen über unseren Köpfen flog, hörten wir für ein paar Sekunden ihr Tschilpen und das Rauschen ihrer Flügel. Immer wieder blieb Flo stehen und sah sich nach mir um.

»Hier ist es wie im Urwald!«, sagte er plötzlich in die Stille hinein.

Da habe ich ihn ausgelacht, denn im Urwald wachsen keine Maisstauden in Reih und Glied. Dort wuchern Büsche und Bäume durcheinander und Schlingpflanzen hängen von hohen Ästen bis auf den Boden herab. Im Urwald gluckst und tropft es. Da hört man unzählige Tierstimmen, leise und laute. Vor allem aber ist es dort feucht und sehr warm.

Schließlich muss ich das doch wissen, weil mein

Papa Afrikaner ist. Er kommt aus Ghana und hat mir schon viel von seiner Heimat erzählt. Als er ein Kind war, stand sein Haus ganz in der Nähe von einem richtigen Urwald. Und Affen gibt es da!

»Siehst du hier irgendwo Affen?«, fragte ich Flo.

»Ich möchte auch mal in einem richtigen Urwald sein«, sagte er und dann krochen wir weiter durch das Feld.

Als Flo sich nach einer Weile wieder umdrehte, sagte ich: »Wenn ich nach Afrika fahre, nehme ich dich mit, ganz bestimmt.«

Von da an wussten wir, dass wir zusammen nach Afrika reisen wollten. Nur wann, das wussten wir noch nicht. Und wer Flo die Flugreise bezahlen würde, falls seine Eltern ihm die Reise überhaupt erlaubten, darüber machten wir uns damals noch keine Gedanken.

Als wir später auf Oma Gretes Hof zurückkamen, haben wir zwischen Brettern, Kisten und Autoreifen zwei alte Kanister gefunden. Ich habe gleich angefangen, darauf herumzutrommeln. Der große Kanister aus Plastik klang dumpf. Er erinnerte mich sofort an Papas Trommel, die er zu Hause hinter seinem Bett stehen hatte. Der andere Kanister aus Blech klang viel heller.

Flo ließ sich von meiner Trommelei anstecken. Wir hatten riesigen Spaß und beschlossen, die Trommeln am nächsten Wochenende mit in das Maisfeld zu nehmen.

Als ich am Sonntagabend nach Hause kam, gab es noch eine richtige Überraschung für mich. Schon im Treppenhaus hörte ich, dass Besuch da war. Lautes Lachen und englische Wortfetzen drangen durch die offene Wohnungstür. Die laute Stimme kannte ich. Sie gehörte Papas Freund Chris, der aus dem gleichen Dorf in Ghana stammt wie er.

Wenn Chris bei uns ist, unterhalten sich Papa und Mama auf Englisch mit ihm. Papa sagt, dass zu Hause in Ghana jeder neben seiner Stammessprache Englisch spricht. Ich kann mich auch schon ganz gut auf Englisch unterhalten. Papa hat es mir beigebracht. Englisch ist sozusagen meine Vatersprache. Und Deutsch ist meine Muttersprache.

Ich rannte, so schnell ich konnte, die Treppe hinauf und stürzte in die Wohnung. Chris war gerade aus Ghana nach Deutschland zurückgekehrt. Er hat uns gleich darauf besucht, um Grüße von Papas Familie zu bringen und das Paket.

Es lag auf dem Tisch. Ein flaches Paket. Umwickelt mit hellbraunem Packpapier.

»Es ist für dich«, sagte Chris.

Ein Paket von meiner Oma aus Afrika!

Ich war ganz aufgeregt. Mama und Papa waren auch schon sehr neugierig. Ich drückte den Daumen vorsichtig in das Einwickelpapier. Es fühlte sich ganz weich an. Schnell knüpfte ich den Bindfaden auf und wickelte das Papier ab. Stoff kam zum Vorschein, bunt bedruckter Stoff.

Ich hob ihn hoch und sah, dass es ein Hemd war. Es war mit grünen Schildkröten bedruckt. Sie liefen über einen leuchtend blauen Untergrund. Und noch ein zweites Hemd lag im Paket, darauf war ein Schiff gedruckt.

»Probier sie gleich einmal an, sie sind so schön!«, rief Mama.

Als ich vor den Flurspiegel lief, sagte Chris: »Oma Jennifer hat die Hemden extra für dich genäht!«

»Oma Jennifer?«, fragte ich verwundert.

Papa lachte: »Deine Oma hat auch noch einen richtigen Namen!«

Ich zog zuerst das Schildkrötenhemd an und betrachtete mich im Spiegel. Da entdeckte ich die

Schlangenlinien und die anderen seltsamen Muster, die mit glänzendem, buntem Garn um den Halsausschnitt gestickt waren. Ganz kostbar sah das aus.

»Das steht dir aber gut«, rief Mama.

Ich strahlte mein eigenes Spiegelbild an. Noch nie hatte ich mich so schön gefunden. Als wäre ich ein afrikanisches Königskind. In dem Hemd von meiner Oma, von Mum Jennifer.

Das Hemd mit dem Schiff stand mir auch gut. Aber ich wusste gleich, dass ich es Flo schenken würde, damit er auch ein echtes Afrikahemd besäße. Ich war fest davon überzeugt, dass meine Oma sich freuen würde, wenn zwei Freunde ihre Hemden anzögen.

Ich war so verliebt in das Schildkrötenhemd, dass ich es nicht mehr ausziehen wollte, und behielt es an, als ich zu Bett ging.

Eine Schildkröte mit ganz fein gemustertem Panzer lag genau auf meiner Brust. Da, wo das Herz schlägt. Das hatte Oma bestimmt extra so genäht. Ich streichelte die Schildkröte und versuchte, mir dabei das Gesicht von Oma vorzustellen.

Ich kenne Oma nur von einem Foto. Wie groß

sie ist, kann ich darauf nicht erkennen. Auf dem Bild ist nur ihr Gesicht zu sehen.

Oma sieht ein bisschen so aus wie Papa. Doch sie hat viele kleine Fältchen um die Augen und trägt ein buntes Tuch wie einen Turban um ihr Haar.

Während ich so in meinem Bett lag, hörte ich auf einmal eine Stimme. Sie kam von ganz weit her. Aber ich hörte sie trotzdem. Sie rief meinen Namen.

»Eric!«, rief sie. »Mein Enkel Eric! Hörst du mich? Ich rufe dich schon so lange. Ich schicke meine Worte mit dem Wind. Er trägt sie über das Meer bis nach Deutschland zu dir. Der Wind wird dich finden!«

»Hier bin ich, Oma!«, sagte ich. Dann hörte ich wieder ihre Stimme: »Ich habe große Sehnsucht nach dir, mein Eric. Ich möchte dich sehen und an mich drücken. Du kommst doch bald zu mir? Ich habe dir Schildkröten geschickt. Sie sind kluge Tiere. Sie werden dich zu mir bringen. Sie kennen den Weg.« Omas Stimme wurde immer leiser.

»Ja, Oma, ich komme bald«, rief ich, »mit meinem Freund Flo. Ich habe ihm versprochen, ihn mit nach Afrika zu nehmen. Und mit Papa und Mama. Wir kommen alle!«

Als ich am nächsten Morgen aufwachte, lag meine Hand noch immer auf der Schildkröte. Ich habe Papa erzählt, wie mich Oma gerufen hatte.

»Dann müssen wir wohl bald fahren«, sagte er. Und sein Gesicht sah dabei so aus, als meinte er es ernst.

Bauer Heinrich

Am nächsten Wochenende waren Flo und ich wieder bei Oma Grete. Wir hatten beide die Afrikahemden angezogen.

Oma Grete bewunderte sie gleich. Vor allem die Stickerei fand sie ganz toll und wollte am liebsten lernen, wie man so etwas macht.

»Ich möchte deine Oma kennenlernen«, sagte sie. »Wenn nur die Reise zu ihr nicht so weit wäre. Und diese Hitze in Afrika vertrage ich bestimmt auch nicht.«

»Wenn ich mir vorstelle, wie du mit Strohhut und Sonnenschirm nach Ghana fährst und Erics

Oma triffst!«, sagte Flo und wollte sich kaputtlachen.

»Warum eigentlich nicht?«, antwortete Oma Grete. »Weiße Oma trifft schwarze Oma. Beide schwärmen von ihren netten Enkeln und tauschen gegenseitig Stickmuster aus. Ich kann mir das schon vorstellen. Bloß hat sich vielleicht noch keine weiße Oma auf den Weg gemacht!«

Flo und mich hielt es jetzt nicht mehr lange in Omas Küche. Nachdem wir ein saftiges Stück Johannisbeerkuchen verspeist hatten, rannten wir auf den Hof und klemmten uns die Kanister unter den Arm.

Dann suchten wir unter den Bäumen nach passenden Stöcken und waren bald im Maisfeld verschwunden.

Wir hockten uns so weit auseinander auf die Erde, dass wir uns gegenseitig nicht mehr sehen konnten. Dann begann ich, auf dem Plastikkanister zu trommeln. So, wie ich es von Papa gelernt hatte. Nach ein paar Schlägen wartete ich jedes Mal auf Antwort von Flo. Er gab sie mir auf seiner Blechtrommel. Irgendwann begannen wir dann auch zu singen.

Wir hätten noch lange so weitergespielt, wenn nicht plötzlich der Mann aufgetaucht wäre.

Ganz leise hatte er sich von hinten herangepirscht. Es hatte ihm wohl völlig die Stimme verschlagen, als er mich sah: wie ich auf der Erde kniete und den Kanister mit wilden Trommelschlägen bearbeitete.

Der Mann stand mit offenem Mund vor mir und hielt einen Knüppel in der Hand.

»Du wirfst sofort die Stöcke weg!«, stieß er hervor. Was ich aber nicht tat. Er warf seinen Knüppel ja auch nicht fort.

Inzwischen trommelte Flo immer weiter und wartete zwischendurch auf meine Antwort. Er konnte uns ja nicht sehen.

Dann schrie der Mann los: »Das gibt es ja wohl nicht! Sind wir denn hier mitten in Afrika?«

Da hätte ich ihm am liebsten gesagt, er könne sogar mitspielen oder mit seinem Knüppel die giftigen Schlangen vertreiben. Dann fing er an, ganz abfällig zu reden: »Wie viele Neger treiben sich denn noch in meinem Maisfeld herum? Könnt ihr nicht da bleiben, wo ihr hingehört? In eurem Busch! Und unsereinen in Ruhe lassen!«

Weil aber Flo immer noch weitertrommelte, begann der Mann, lauter zu schreien: »Aufhören! Aufhören! Oder ich hole die Polizei!«

Das hatte Flo nun doch gehört, denn er stand im Handumdrehen bei uns.

»Heinrich!«, sagte er ganz erstaunt zu dem Mann.

Der wurde etwas verlegen. »Sind da noch mehr?«, fragte er schon etwas ruhiger.

Wir schüttelten den Kopf.

»Du bist also auch dabei, Flo«, sagte dieser Heinrich dann. Und bevor er sich umdrehte, meinte er: »Brecht mir ja keine Pflanzen ab!«

Dann verschwand er wieder.

»Wir spielen, wir sind im Urwald!«, rief Flo ihm nach.

»Das war bloß der Bauer Heinrich Meier, dem gehört das Feld«, sagte Flo und ging wieder zu seiner Trommel, als ob nichts geschehen wäre.

Ich hatte auf einmal überhaupt keine Lust mehr zu trommeln. Mir gingen die Sätze des Bauern durch den Kopf. Wieso sollte ich in den Busch zurückgehen und ihn in Ruhe lassen? Was meinte er damit? Nach Afrika will ich fahren, ja. Aber nicht, weil dieser Bauer das sagt. Weil ich dort meine Oma besuchen will. Und danach werde ich nach

Deutschland zurückkommen. Hierher, wo ich geboren bin, in mein Land.

Langsam begann ich dann doch wieder, die Trommel zu schlagen.

Der Bauer Heinrich schwang sich gerade auf sein Fahrrad, als wir auf den Hof zurückkamen. Oma Grete erwartete uns schon.

»Ihr beide habt dem Heinrich ja einen ganz schönen Schrecken eingejagt«, sagte sie und lachte dabei verschmitzt. »Ich habe ihm gerade erzählt, dass ihr zwei richtige Urwaldfans und die besten Freunde seid. Heinrich ist es jetzt unangenehm, dass er zu Eric so dummes Zeug gesagt hat. Aber damit er auch wirklich kapiert, was für einen Quatsch er da gesagt hat, habe ich ihm erzählt, dass Erics Mama genauso eine helle Haut und die gleichen blonden Haare hat wie seine Tochter Katrin. Und dass sich seine Katrin vielleicht auch mal in einen netten Mann aus Afrika verliebt. Und dass er dann wohl auch Enkelkinder bekommen wird, die so einen hübschen, schwarzen Lockenkopf haben wie du, Eric. Mit denen wird er dann ganz bestimmt Trecker fahren wie ein richtig guter Opa.«

Wenn Flos Oma redet, dann sind meine traurigen Gedanken jedes Mal wie weggeblasen. So war es auch diesmal.

Später, beim Gute-Nacht-Sagen, hat sie natürlich bemerkt, dass wir unsere Afrikahemden zum Schlafen anbehalten haben.

»Ihr beide müsst wirklich nach Afrika fahren«, sagte sie.

Ein paar Wochen später kaufte sie dann von ihren Ersparnissen Flo das Flugticket.

Oma Grete fand, dass Flo doch sehen sollte, wo meine Oma wohnt. Schließlich weiß ich doch auch, wo Oma Grete wohnt. Wie sie aussieht und wie sie lebt.

»Omas auf der ganzen Welt müssen zusammenhalten. Weil wir alle unsere Enkel liebhaben. Und grüßt sie schön von mir!«, sagte sie uns auf dem Flugplatz zum Abschied.

Ankunft in Afrika

Gerade kommt die Stewardess und bittet Flo, das Rollo an seinem Fenster herunterzuziehen, weil den Fluggästen jetzt ein Film gezeigt werden soll. Das ist schade. Denn wir werden bald die Sahara überfliegen und hätten die Wüste so gern vom Flugzeug aus gesehen.

Ich finde den Film nicht besonders aufregend und schlafe irgendwann ein.

Plötzlich bekomme ich von Flo einen unsanften Stoß in die Seite.

»Mann, Eric, wach auf! Du verschläfst noch unsere Landung in Ghana!«, ruft er.

Flo und ich wollen gemeinsam den ersten Schritt auf den Boden von Afrika setzen. Hier, auf dem Flughafen in Ghanas Hauptstadt Accra.

Einen Moment lang bleiben wir auf der letzten Stufe der Treppe stehen. Dann hüpfen wir zusammen auf das Rollfeld. »Angekommen!«, rufen wir gleichzeitig.

»Ist das warm hier! Wie in einer Sauna!«, ruft Flo.

»Du bist in Afrika!«, sagt Papa lachend zu ihm.

Die Luft legt sich wie ein feuchter, warmer Mantel um uns. Auf meiner Schulter spüre ich Papas Hand.

Jetzt schieben wir uns langsam mit den anderen Fluggästen der Passkontrolle entgegen. Je näher wir zum Ausgang kommen, desto deutlicher kann ich die Gesichter der vielen wartenden Menschen vor dem Absperrgitter erkennen. Einer von ihnen ist Jerry, Papas Bruder. Er soll uns vom Flughafen abholen und zu seiner Familie bringen, die hier in Accra wohnt. Dort werden wir übernachten. Morgen früh wollen wir den Autobus nehmen, der uns zu Oma bringt.

Ein Mann in gelbem Hemd winkt uns mit einer zusammengerollten Zeitung in der Hand zu.

»Jerry!«, ruft Papa plötzlich so laut, dass ich richtig zusammenfahre.

Dann hebt mich Papa in die Höhe, damit mich sein Bruder besser erkennen kann. Papa ist nicht mehr zu halten. Er fängt an zu drängeln, schiebt sich geschickt seitwärts an den Menschen vorbei. Endlich haben wir unsere Stempel im Pass und Papa hat auch alle Formulare ausgefüllt. Er und Jerry umarmen sich. Dann nimmt Jerry mich und Flo in die Arme. Er ist traurig, dass Mama nicht mitkommen konnte.

Nachdem wir endlich das Gepäck haben, bahnt Jerry uns einen Weg durch das Menschengewimmel im Flughafengebäude. Papa bleibt dicht hinter uns, damit wir nicht verlorengehen. Wir haben Mühe, Jerry nicht aus den Augen zu verlieren. Zum Glück leuchtet sein gelbes Hemd.

Es ist schon fast dunkel, als wir in Jerrys Wohnung ankommen. Seine Frau, Tante Emily, hat ein gutes Abendbrot für uns vorbereitet. Es gibt Hühnersuppe mit Reis und zum Nachtisch frische, saftige Ananasstücke.

Nach dem Abendbrot schickt Papa Flo und mich gleich ins Bett. Wir müssen morgen schon um fünf Uhr aufstehen, um den Autobus zu bekommen, der in den Westen Ghanas fährt. Dort liegt das Dorf, in dem Oma wohnt. Aber jetzt freuen wir uns erst einmal über die kühle Dusche.

Unser Moskitonetz brauchen wir in Jerrys Wohnung nicht über dem Bett aufzuspannen, weil es hier engmaschige Fliegengitter vor den Fenstern gibt.

Aber Flo und ich können nicht gleich einschlafen. Die Luft in unserem Zimmer ist so stickig, dass es uns fast den Atem verschlägt. Wir decken uns nur mit einem dünnen Leinentuch zu und reden noch eine ganze Weile miteinander über den Flug, über die schneeweißen Wolkenberge, das blau leuchtende Mittelmeer und den Anfang von Afrika. Auch über die Landung, das Menschengewimmel am Flughafen, die vielen schwarzen Menschen.

»Jetzt falle ich überall auf«, sagt Flo, »und du bist einer wie alle anderen mit deiner dunklen Haut.«

»Glaubst du, dass ich darüber richtig froh bin?«, sage ich.

»Und ich sehe jetzt mal, wie es dir bei uns immer geht«, sagt Flo.

Das finde ich gut, denke ich. Er soll ruhig merken, wie das ist, wenn man immer gleich angeguckt wird. Bloß weil man ein bisschen anders aussieht als alle anderen.

»Morgen sind wir bei meiner Oma«, sage ich noch vor dem Einschlafen. Ob ich meine Oma auch gleich erkennen werde?

Schon als das Taxi hält, das uns nach der langen Fahrt mit dem Autobus von der Bushaltestelle bis in Omas Dorf gebracht hat, sehe ich sie.

Oma steht in ihrem Hofeingang, eingerahmt von einer Schar Frauen und Kindern, und schaut uns entgegen. Über den Stoff ihres langen Kleides laufen die gleichen Schildkröten wie über mein Hemd. Sicher hat Oma das Kleid extra für unseren Empfang angezogen. Oma lacht mich an. Sie streckt uns die Arme entgegen. Sie ist viel kleiner, als ich sie mir vorgestellt habe. Ich bin sogar schon etwas größer als sie.

Zuerst nimmt sie Papa in die Arme. Der küsst sie auf beide Backen und hebt sie dabei fast in die Luft. So, wie er es manchmal mit Mama macht, wenn er sie küsst. Dann halten sich Oma und Papa an den Händen.

»Herzlich willkommen, mein Sohn!«, sagt Oma jetzt wohl schon zum dritten Mal auf Englisch.

Flo und ich sind plötzlich von vielen Kindern umringt. Sie unterhalten sich über uns. Die Kleineren berühren vorsichtig unsere Haut, die ja viel heller ist als ihre.

Denken sie etwa, dass sich weiße Haut anders anfühlt als schwarze? Sie werden schon merken, dass das nicht stimmt. Jetzt streckt Oma ihre Arme nach mir aus.

»Eric, mein Enkel, herzlich willkommen!«

Omas lange schmale Hände haben einen festen Griff. Es tut mir fast ein bisschen weh, als sie meine Hand drückt.

Eigentlich wollte ich meine Oma umarmen, so, wie Flo das immer macht, wenn er zu seiner Oma Grete kommt. Aber ich schaue Oma nur an. In ihren Augen funkelt es.

»Schön, dass du da bist, Eric«, sagt sie.

Sicher hat Oma schon längst bemerkt, dass ich ihr Schildkrötenhemd anhabe. Doch sie sagt nichts dazu.

Ich stehe etwas verlegen vor ihr und denke darüber nach, ob ich »Oma« oder besser »Mum Jennifer« zu ihr sagen soll.

Da ruft sie plötzlich so laut, dass es alle Leute um uns herum hören: »Schaut, was für einen großen Enkel ich habe! Ich sehe ihn heute zum ersten Mal und ich kann ihn nicht auf meinem Rücken tragen.«

Oma bückt sich und tut so, als wollte sie mich wie ein Baby auf den Rücken nehmen. Alle lachen über Omas Spaß und ihre ulkigen Bewegungen. Ich schiele zu Flo hinüber, der zwischen den schwarzen Kindern wie ein helles Ausrufezeichen steht. Wie er sich wohl fühlt?

»Ich habe einen Freund mitgebracht. Er heißt Flo«, sage ich zu Oma.

Mit einem lauten und herzlichen »Willkommen« streckt sie nun auch Flo die Arme entgegen.

Dann ruft Oma wieder in die Runde: »Mein Enkel Eric hat einen Freund aus Deutschland mitgebracht. Ist das nicht schön? Willkommen, willkommen!«

Sie ist ganz aufgeregt.

Jetzt fangen ein paar Frauen um uns herum an, in die Hände zu klatschen und zu singen. Dabei drehen sie sich hin und her. Flo fängt an zu grinsen.

Das macht er immer, wenn ihm etwas peinlich ist. Es ist ihm ganz bestimmt nicht angenehm, so im Mittelpunkt zu stehen.

Doch Oma führt uns jetzt in ihren Hof hinein.

Wir laufen auf feinem Sand. Die kleinen Muscheln auf dem Sandboden erinnern mich daran, dass das Meer ja ganz in unserer Nähe ist. Omas Dorf liegt am Strand des Atlantischen Ozeans. Vom Meeresrauschen kann ich allerdings überhaupt nichts hören, weil um uns herum so viele Menschen durcheinandersprechen. Überall stehen sie in kleinen Gruppen zusammen.

Papa sagt Flo und mir, dass uns gleich alle Verwandten und Freunde begrüßen würden und wir uns noch eine Weile gut benehmen müssten.

Für Oma und uns steht unter einem überdachten Platz in der Mitte des Hofes eine Holzbank bereit.

Meine Tanten, Cousinen, Cousins und die Freunde von Papa laufen an uns vorüber und schütteln uns die Hände. Oma sitzt ganz stolz neben mir und lächelt.

Es ist ein seltsames Gefühl, wenn die fremden

Menschen mir alle so nahe kommen. Sie tätscheln und küssen mich. Tante Liz kann ich bis auf den Busen gucken, weil sie sich so tief zu mir herunterbeugt. Sie sagt mir, dass ich sie jeden Tag sehen würde. Sie wohnt hier auf dem Hof mit Mum Jennifer zusammen.

Während uns die Leute begrüßen, bemerke ich, wie mich die ganze Zeit ein Mädchen beobachtet. Es steht ein wenig abseits und trägt auf dem Rücken ein Baby. Aber ihr Kind kann das ja nicht sein. Das Mädchen ist höchstens erst neun Jahre alt.

Ob sie auch auf Omas Hof wohnt? Vielleicht in einem der vier kleinen Häuser, die um den Sandplatz herumgebaut sind. Warum begrüßt sie uns nicht?

Doch ich muss mich wieder den anderen zuwenden, Hände schütteln und erklären, warum Mama nicht mitfahren konnte.

Als ich mich wieder nach dem Mädchen umschaue, ist sie verschwunden.

Die Begrüßungszeremonie ist jetzt vorüber. Von der warmen Luft und vom vielen Reden habe ich einen Riesendurst bekommen. Die Sonne steht schon tief am Himmel und wirft ihr rötliches Licht in unseren Hof. Die meisten Leute sitzen mit uns in einer großen Runde auf Hockern und Bänken, die aus den Häusern herausgetragen worden sind.

Papa erzählt. Es sieht so aus, als ob er alles erzählen wollte, was er in Deutschland in den letzten zwölf Jahren erlebt hat. Er hört überhaupt nicht mehr auf. Alle hören gespannt zu. Immer wieder spricht er Nzema, die Stammessprache der Menschen in dieser Region Ghanas. Das können Flo und ich nicht verstehen.

Zum Glück bringt eine Frau einen großen Topf mit einem Getränk, das sie in Kürbisschalen füllt und den Leuten reicht. Wir warten ungeduldig, bis wir endlich an die Reihe kommen.

Doch da sagt Papa: »Das ist Palmwein, nichts für Kinder. Ihr bekommt gleich etwas anderes.«

Wir müssen uns noch gedulden. Aber dann bringt John Kwame, einer meiner Cousins, zwei Kokosnüsse und schlägt sie mit einem Messerhieb auf, reicht sie uns zum Trinken.

Die Milch schmeckt warm und süßlich. Ich sehe, wie sie Flo fast in einem Zug austrinkt. Ich mache es ihm nach. Mein erster Durst ist tatsächlich gelöscht. John Kwame zeigt uns, wie wir mit der scharfen Kante der abgeschlagenen Kappe das weiche, weiße Fleisch der Kokosnuss abschaben können. Während wir das zarte, leckere Kokosnussfleisch essen, erscheint plötzlich das Mädchen wieder. Das Baby hat sie nicht dabei. Dafür trägt sie einen Teller auf dem Kopf und setzt ihn vor uns auf den Boden. Viele kleine, helle Kuchen sind darauf aufgetürmt, die wir probieren sollen.

Das Mädchen hockt sich nieder. So kann ich sie gut betrachten. Ihre Haut ist ganz schwarz und ihre Augen funkeln geheimnisvoll.

»Ich heiße Aba«, sagt sie. »John Kwame ist mein Bruder und deine Tante Liz ist meine Mutter. Mum Jennifer ist auch meine Oma.«

»Aba«, wiederhole ich. So einen Namen habe ich noch nie gehört. Ich sage es ihr. Aba lacht darüber. Beim Lachen bewegen sich ihre kleinen, eng geflochtenen Zöpfe mit den bunten Perlen darin. Das sieht hübsch aus.

Wenn meine Tante Liz ihre Mutter ist, dann wohnt Aba doch sicher hier auf diesem Hof, ganz in meiner Nähe. Ich freue mich darüber.

»Und das Baby?«, frage ich sie neugierig.

»Das ist Patricia, meine kleine Schwester.«

»Eh, Flo, sie wohnen alle drei hier auf dem Hof«, sage ich zu ihm.

»Hab ich doch alles mitbekommen«, lacht er.

Inzwischen verabschieden sich die Besucher. Es wird dämmrig.

Oma ruft Aba zu sich und sagt ihr etwas in ihrer Stammessprache Nzema, die für mich wie eine Geheimsprache klingt. Ich höre es gern, wenn die Leute sich in dieser Sprache unterhalten. Nur schade, dass ich sie nicht verstehe.

Aba winkt uns. Sie führt uns zu einem der kleinen Häuser, in dessen Türrahmen bunte Plastikbänder hängen. Flo und ich treten ein. Erst allmählich gewöhnen sich meine Augen an den dämmrigen Raum. Zwei Betten stehen darin. Ein breites, wohl für Flo und mich, und ein schmales für Papa.

»Das ist euer Zimmer, hier könnt ihr schlafen«, sagt Aba und verschwindet mit einem »Gute Nacht«.

Ich gucke Flo an. So hat er sich unser Zimmer bestimmt nicht vorgestellt. Ich auch nicht: ohne Lampe, ohne Fenster, nur nackte Wände, die Betten an den Seiten. Unser Gepäck steht aufgereiht an der hinteren Wand. Aber Flo sagt nur: »Mann, bin ich müde!«, und wirft sich der Länge nach auf das breite Bett.

»Na komm, Flo, spannen wir erst mal unser Moskitonetz auf«, sage ich.

Zu Hause hatten wir schon einmal ausprobiert, das Netz aufzuspannen. Vergeblich sucht Flo einen Nagel an der Wand. Endlich findet er im Schein meiner Taschenlampe einen Vorsprung über dem Bett, an dem er die Schnur des Netzes befestigen kann.

Bald schwebt das große Moskitonetz über unserem Bett. Wir ziehen uns aus und kriechen vorsichtig darunter. Es ist eine Weile still zwischen Flo und mir. Ich möchte gerne wissen, ob es Flo hier gefällt. Ich habe Angst, ihn danach zu fragen. Es könnte ja sein, dass er lieber wieder nach Hause fahren würde. Und was mache ich dann?

Jetzt, wo es so still ist, höre ich das Meeresrauschen bis in unser Zimmer hinein: Es rauscht und wird wieder leiser, es rauscht und wird wieder leiser, ohne Ende.

»Eric? Hast du es dir hier so vorgestellt?«, fragt Flo plötzlich.

Ich drehe mich zu ihm herum. Wird er jetzt sagen, dass er nach Hause fahren will?

»Ich weiß gar nicht mehr genau, wie ich es mir vorgestellt habe. Es ist alles so anders«, sage ich.

»Hauptsache, wir machen bald einen Ausflug in den Urwald.« Flos Stimme klingt leise. Und dann ist es wieder still zwischen uns.

»Hast du Heimweh?«, frage ich ihn.

»Ja, ein bisschen«, sagt Flo.

Da muss ich auch auf einmal an Mama zu Hause in Deutschland denken und einen kleinen Kloß im Hals herunterschlucken. Ich habe ja wenigstens Papa und meine Oma. Aber Flo hat niemanden aus seiner Familie hier, nur mich.

»Und wie findest du meine Oma?«, frage ich, um ihn ein bisschen von seinem Heimweh abzulenken. Doch als Antwort höre ich nur das gleichmäßige Atmen von Flo. Er muss wohl eingeschlafen sein.

Draußen vom Hof sind leise Stimmen zu vernehmen.

Ich lausche und glaube, Papa zu hören. Dann spricht eine andere Stimme, sie ist heller. Das könnte Oma sein. Sie unterhalten sich in ihrer Stammessprache.

Wie ein Lied klingt es, wenn sie reden. Auf und ab gehen ihre Stimmen, alles klingt so weich. Mir ist, als hätte ich das alles schon einmal gehört, obwohl ich nichts verstehen kann. Ich wickle mich in das Tuch, mit dem ich zugedeckt bin. Ich schlüpfe unter dem Moskitonetz hindurch, dabei passe ich auf, dass ich Flo nicht störe. Auf Zehenspitzen laufe ich an die Tür und spähe durch die Plastikbänder auf den Hof. Draußen ist es ganz dunkel. Nur ab und zu wirft der Mond einen Schimmer auf den Hof. Ich sehe zwei Gestalten unter dem Dach in der Mitte des Hofes. Ich erkenne Papa und Oma.

Ohne lange zu überlegen, laufe ich zu ihnen. Die kleinen Muscheln im Sand piksen in meine Fußsohlen.

»Oma«, rufe ich und hocke mich neben sie.

»Eric, mein Kind«, sagt sie mit leiser Stimme.

Ich lege meinen Kopf in ihren Schoß. Ein bisschen schaukelt Oma mit den Knien hin und her, und dann beginnt sie, eine Melodie zu summen. Papa summt mit seiner tiefen Stimme mit.

Ich bin in Afrika angekommen, denke ich. So schlafe ich ein.

Omas Hof

Flo räkelt sich und streckt mir dabei seine Füße ins Gesicht. Er liegt verkehrt herum im Bett und wühlt sich jetzt aus seinem Schlaftuch heraus. Mein Tuch liegt ganz zerknüllt am Fußende. Wie ich heute Nacht ins Bett gekommen bin, weiß ich nicht. Wahrscheinlich hat mich Papa zurückgetragen.

Papas Bett ist schon leer. Sein Schlaftuch liegt ordentlich zusammengefaltet auf der bunten Matratze. Sicher ist er schon längst bei Oma auf dem Hof.

Flo hockt sich neben mich.

»Mann, ist mir heiß!«, sagt er mit hochrotem Gesicht. »Lass uns doch mal gucken, ob wir hier irgendwo eine Dusche finden!«

Eine Dusche? Was erwartet Flo! Oma besitzt doch noch nicht einmal eine Wasserleitung auf dem Hof. Hat Flo das vergessen? Schon in Deutschland habe ich ihm das erzählt.

Flo zerrt ungeduldig am Netz. Die Seiten sind unter die Matratze gesteckt.

»Pass auf, dass du kein Loch reißt. Sonst kommt genau dort die Mücke rein und impft uns eine hübsche Malaria ein!«, rufe ich.

»Es muss ja keine richtige Dusche sein, aber Wasser brauche ich jetzt!«, stöhnt Flo.

Bei Oma Grete würden wir jetzt sicher unter die Dusche im Badezimmer rennen. In ihrer Küche stünde ein gedeckter Frühstückstisch bereit. Und Flos Oma würde rufen: »Na, ihr Lausebengel, seid ihr endlich wach?«

Wo steht eigentlich der Frühstückstisch von meiner Oma? Wo ist ihre Küche? Wo ist Oma überhaupt?

Wir gucken zu unserer Zimmertür hinaus, die zugleich auch die Haustür ist.

Die helle Sonne blendet.

Heute Morgen sieht der Hof richtig leer aus.

Hocker und Bänke sind verschwunden. Nur unter dem Dach in der Mitte des Hofes, unter dem wir gestern saßen, steht noch eine Bank. Da sehe ich, dass vor der Eingangspforte ein Mädchen den Sandboden fegt. Ich kann es nicht genau erkennen, weil es uns den Rücken zukehrt.

»Ich glaube, das ist Aba«, sagt Flo. »Ruf sie doch mal. Sie kann uns bestimmt sagen, wo wir uns waschen können.«

»Warum soll ich sie rufen?«, wehre ich ab.

»Du magst sie doch. Das habe ich gestern gleich bemerkt. Wie du sie angeguckt hast!«, sagt Flo und grinst.

»Du bist gemein!«, sage ich und packe ihn bei den Schultern.

Keiner von uns muss Aba rufen. Sie hat uns schon gehört und dreht sich zu uns um.

»Guten Morgen!«, ruft sie.

»Guten Morgen, Aba. Kannst du uns sagen, wo wir uns waschen können?«, ruft Flo.

»Da drüben könnt ihr duschen!« Sie zeigt über den Hof.

Haben wir richtig gehört? Hier gibt es eine Dusche? Doch dort, wohin Aba zeigt, erkenne ich nur ein Stück Zaun aus geflochtenen Palmblättern. Da kann doch keine Dusche sein! Aba hat meinen ungläubigen Blick gesehen. Sie bedeutet uns, ihr über den Hof zu folgen. Was wie ein Zaun aussieht, ist eine Tür. Aba öffnet sie. Wir sehen wirklich so etwas wie eine Duschkabine, nur die Dusche fehlt. Am Boden liegen flache Steine. Daneben steht ein Eimer. Er ist randvoll gefüllt mit kaltem Wasser. Auf einem Teller liegt ein großes Stück Seife. Und auf den Zaunlatten stecken zwei Kürbisschalen.

Aba nimmt eine der Schalen. Sie tut so, als schöpfe sie Wasser aus dem Eimer und gieße es sich über den Kopf.

»So einfach geht das«, lacht sie.

Als Aba weg ist, gießen wir uns gegenseitig so lange das Wasser über die Köpfe, bis der Eimer leer ist.

Herrlich erfrischt verlassen wir die Dusche. Gerade wollen wir in unser Haus laufen, als John Kwame im Hof erscheint. Auf dem Kopf trägt er einen Eimer mit Wasser. Aba eilt gleich herbei und hilft ihrem Bruder, die schwere Last auf den Boden zu setzen. Gut, dass er nicht gesehen hat, wie wir mit dem Wasser gerade herumgespritzt haben. Er wäre jetzt bestimmt sauer. John Kwame stellt den vollen Eimer in die Duschkabine und setzt sich den leeren auf den Kopf. So verlässt er wieder den Hof.

Hoffentlich ist der Weg zum Dorfbrunnen nicht so weit, denke ich ein wenig schuldbewusst.

»Ob er das ganze Wasser für den Hof holen muss?«, fragt Flo mich leise.

Er hat wohl die gleichen Gedanken gehabt wie ich.

»Ich glaube schon«, sage ich.

Plötzlich hören wir ein Baby weinen. Die Stimme kommt aus dem Haus, das links neben unserem steht. Schon läuft Aba hinein. Auch in diesem Türrahmen hängen bunte Plastikschnüre. Das Haus ist ein wenig größer als unseres und besitzt sogar ein Fenster zum Hof. Neugierig schauen wir durch die Tür. Aba sitzt auf dem Bett und schaukelt ihre kleine Schwester.

»Wohnst du hier?«, frage ich.

Sie nickt. Dann erzählt sie, dass sie den ganzen Tag auf Patricia aufpassen müsse, weil ihre Mutter und Oma Jennifer auf die Farm gegangen seien, um Tomaten zu ernten. Ich denke, ich höre nicht recht. Oma ist also gar nicht da. Sie ist den ganzen Tag auf der Farm! Obwohl Flo, Papa und ich hier sind. Ein Frühstück wird es dann sicher auch nicht geben. Wo ist eigentlich Papa? Ich frage Aba, ob er vielleicht auch mitgegangen sei. Sie schüttelt den Kopf. Und während sie Patricia ihren Finger in den Mund steckt, an dem diese gierig zu saugen beginnt, sagt Aba, dass Papa zu Freunden ins Dorf gegangen sei. John Kwame werde ihm schon die Nachricht bringen, dass wir aufgewacht seien.

Es dauert auch nicht lange, da erscheint John Kwame wieder mit dem Wasser, zusammen mit Papa. Er trägt ein Weißbrot unter seinem Arm.

»Wo sollen wir denn frühstücken?«, frage ich Papa ratlos.

»Oh, meine Herren!«, ruft Papa gut gelaunt. »Nehmen Sie doch bitte unter dem Sonnendach Platz. Was darf es denn sein? Frische Orangen, Kokosmilch oder Kakao?«

»Kakao!«, rufen Flo und ich wie aus einem Mund. Obwohl ich nicht weiß, woher Papa den Kakao überhaupt nehmen will.

Doch er verschwindet wortlos in unserem Schlafhaus und erscheint wieder mit einer Packung Kakaopulver in der Hand.

»Die hat Mama extra für euch eingepackt, als Überraschung«, sagt er.

Wie ich Mama dafür dankbar bin!

Papa schöpft nun für jeden von uns eine Tasse voll Wasser aus dem Topf, der auf einer Mauer vor dem dritten Haus im Hof steht.

»Dieser Topf muss immer zugedeckt bleiben, weil darin abgekochtes Trinkwasser aufbewahrt wird und keine Insekten hineinfliegen dürfen«, erklärt er uns.

Wir verrühren das braune Pulver in den Tassen, tauchen die Weißbrotstücke hinein und haben noch ein lustiges Frühstück zusammen.

John Kwame verlässt anschließend den Hof. Er muss zur Schule. Ich wundere mich aber doch sehr, dass er keine Büchertasche mitnimmt. Nur ein Bleistift steckt in seinem krausen Haar, als er losgeht.

Und Aba? Sie kann heute nicht zur Schule gehen. Ihre kleine Schwester hat Durchfall. Darum muss Aba auf Patricia aufpassen. Deshalb konnte Tante Liz sie nicht mit auf die Farm nehmen.

»Dann schwänzt Aba ja die Schule!«, rufe ich aus. Papa sagt, dass dies hier oft vorkäme. Denn während der Erntezeit müssten die größeren Kinder mithelfen und könnten dann nicht zur Schule gehen. Er fände das auch nicht gut, weil die Kinder dann mit den anderen Schülern in der Klasse nicht mehr mitkämen. Aber die Tomatenernte sei für Oma, Tante Liz und die Kinder wichtig. Denn sie lebten von dem Verkauf der Tomaten und von Omas kleiner Schneiderwerkstatt.

»Aber warum ist Oma schon so früh weggegangen und hat nicht gewartet, bis Flo und ich aufgestanden sind?«, frage ich enttäuscht.

»Oh«, sagt Papa, »der Weg zur Farm ist sehr weit. Sie liegt hinter dem Fluss im Regenwald. Alle Leute, die auf ihre Farmen müssen, brechen schon vor Sonnenaufgang auf. Sie müssen ihre Felder erreicht haben, bevor es zu heiß wird.«

Als Flo das Wort Regenwald hört, fragt er sofort: »Ist das schon der richtige Urwald?«

»Natürlich«, sagt Papa.

»Da möchte ich auch mitgehen«, sagt Flo, »wenn Oma morgen wieder auf die Farm muss.«

»Wir werden sie fragen«, sagt Papa.

Ich schaue zu Aba hinüber, die mir gegenüber auf einem Hocker sitzt und mit Patricia spielt. Es wäre schön, wenn sie auch mitkäme. Aber morgen muss sie doch bestimmt wieder zur Schule gehen, sonst bekommt sie Ärger mit ihrer Lehrerin.

Das Dorf am Meer

Nach dem Frühstück hilft uns Papa, das mitgebrachte Schlauchboot aufzupumpen. So etwas hat Aba noch nie gesehen und sie bewundert es sehr.

Bevor ich mit Flo zum Meer gehe, gibt Papa uns noch viele Ermahnungen mit auf den Weg.

»Das Meer hat einen gewaltigen Sog an dieser Küste«, sagt er. »Ihr müsst mir versprechen, nicht weiter als bis zu den Knien ins Wasser zu gehen. Ich komme später nach und schwimme mit euch. Jetzt aber warten im Dorf meine Freunde und Verwandten. Ich muss sie alle der Reihe nach besuchen und ihnen von Deutschland erzählen.«

Bevor Papa geht, drückt er Flo noch die Sonnencreme in die Hand: »Vergiss nicht: Afrikas Sonne ist gefährlich für weiße Haut.«

Leider kommt Aba nicht mit. Sie sagt, sie habe auf dem Hof viel zu arbeiten.

Schon auf dem Weg durch das Dorf werden wir von Kindern umlagert, die alle das Boot mittragen wollen. Sie sind viel jünger als wir, gehen wohl noch nicht zur Schule. Wir sind für sie eine willkommene Abwechslung.

Unser Weg ist kurz. Er führt direkt auf das Wasser zu. Gleißend hell ist das Meer. Nach beiden Seiten erstreckt sich ein langer, weißer Sandstrand. Gleich hinter dem Strand beginnt der Kokospalmenwald. Die Wurzeln der Pflanzen, die ganz nah am Wasser wachsen, sind von den Wellen schon freigespült. An einem dieser Wurzelstöcke legen wir unsere Sachen ab und laufen mit dem Boot gleich in das Wasser. Am liebsten würde ich ganz weit hinausschwimmen. Aber damit müssen wir warten, bis Papa kommt.

Alle Kinder wollen in unserem Boot fahren. Sie klettern hinein, mehr übereinander als nebeneinander. Sie möchten von uns den auslaufenden Brandungswellen entgegengeschoben werden. Am liebsten von Flo, denn sie finden es ungeheuer witzig, wenn er sich mit seinen hellen Armen an das Boot hängt. Oder wenn wir es zusammen umkippen und alle ins Wasser purzeln. Dann springen Flo und ich schnell hinein und paddeln ein Stück davon. Bis uns die Kinder wieder eingeholt haben.

»Mann, ist das toll hier!«, schreit Flo mir immer wieder zu und macht vor lauter Freude Hechtsprünge in die Wellen.

Ich bin froh, dass es ihm im Wasser so gut gefällt. Denn bei Oma auf dem Hof ist alles so einfach, so ganz anders als zu Hause.

»Nicht mal Tapeten sind an den Wänden«, hat Flo ärgerlich festgestellt, als wir das Schlauchboot aus unserem Gepäck im Zimmer herauskramten. »Sie hätten wenigstens die Wände streichen können!«

Das finde ich ja auch. Aber vielleicht hat Oma nicht genug Geld für die Farbe. Und eine Tapete würde bei diesem feuchten Klima gar nicht an der Wand halten. Das habe ich auch Flo darauf geantwortet. An seinem »Ach so!« habe ich gemerkt, dass er darüber nachdachte.

Irgendwann kommt Papa und wir schwimmen mit ihm bis zu einer flachen Sandbank hinaus. Hier spüren wir den starken Rücklauf der Wellen: Unsere Füße werden fast mitgerissen, als wir versuchen, uns hinzustellen. Mit aller Kraft schwimmen wir in die flachen Wellen zurück, wo die Kinder noch immer mit unserem Boot spielen.

Bevor Papa wieder ins Dorf geht, sagt er, wir sollten spätestens dann zurückkommen, wenn wir die Frauen im Dorf Fufu stampfen hörten. Dann gäbe es nämlich bald Abendessen.

Ich weiß schon aus Papas Erzählungen, dass Fufu ein Teig aus gekochten und gestampften Cassavastücken ist, den die Menschen hier gerne essen.

»Wie klingt Fufustampfen?«, fragt Flo.

»Dump, dump, dump«, sagt Papa und lacht. »Wartet nur ab! Ich wette, ihr werdet es nicht überhören!«

Ich laufe aber schon vor der Zubereitung des Abendessens auf den Hof zurück, weil ich den Wasserball aus meinem Rucksack holen will. Gerade erreiche ich die Pforte, als ich Oma und Tante Liz den Weg vom Buschland entlangkommen sehe. Beide gehen sie barfuß. Vorne läuft Oma. Sie hat heute nicht ihr schönes Schildkrötenkleid an. Sie trägt ein gelbes T-Shirt und einen langen, braunen Rock. Auf ihrem Kopf glänzt ein Berg knallroter

Tomaten in der Sonne. Sie liegen in einer großen Blechschüssel. Tante Liz trägt ein riesiges Bündel Stöcke, getrocknetes Gestrüpp und Stangen auf dem Kopf. Wie sie das nur schaffen, die schweren Sachen so gut auf dem Kopf zu balancieren!

Im Hof erblicke ich Aba und rufe ihr zu, dass Oma und Tante Liz nach Hause kämen. Aba hilft ihnen gleich, die schweren Sachen vom Kopf zu nehmen und auf den Sandboden zu stellen. Meine kleine Oma sieht ganz müde aus. Sie setzt sich unter das Dach. Sie lehnt den Rücken gegen einen Pfosten und streckt die Beine weit von sich. Oma lächelt aber trotzdem, als sie sieht, wie ich mit dem aufgeblasenen Wasserball an ihr vorbeigehe. Ich renne schnell wieder zum Wasser zurück.

Schon von weitem erkenne ich John Kwame bei Flo. Sie sitzen zu zweit im Boot und paddeln. In einiger Entfernung stehen die Kinder und schauen ihnen zu. Wie haben Flo und John Kwame es bloß geschafft, allein im Boot zu fahren?

»Er hat die Kinder alle weggescheucht«, ruft Flo mir zu. »Sie haben einen Riesenrespekt vor ihm. Guck mal, keiner wagt sich mehr an unser Boot ran!«

John Kwame ist auch schon zwölf Jahre alt. Das

zählt wohl bei den Kindern. Ich werfe ihnen den bunten Wasserball zu und sie stürzen sich mit Jubelgeschrei darauf.

Lange bleibt John Kwame nicht bei uns. Schon nach kurzer Zeit sagt er, er müsse zum Fußballtraining und wir sollten doch mitkommen und zusehen, wie er spielt. Aber Flo und ich wollen lieber am Wasser bleiben. Wie kann man auch bei solch einer Hitze Fußball spielen! John Kwame guckt uns ganz enttäuscht an. Wir vertrösten ihn auf das nächste Mal.

Oma kocht

Die Sonne steht jetzt schon tief über dem Meer. Flo und ich sind immer noch am Wasser, obwohl die meisten Kinder schon längst wieder ins Dorf zurückgelaufen sind. Bäuchlings liegen wir auf dem Strand, lassen die warmen Wellen unseren Rücken hinauflaufen.

»Hör mal, Eric«, ruft Flo und richtet sich auf.

Ich lausche. Wirklich, aus den Höfen im Dorf kommt es, dieses dumpfe Klopfen. Es ist nicht zu überhören. Die Frauen stampfen Fufu.

Wir werfen den Wasserball in unser Boot und tragen es gemeinsam den Weg durch das Dorf zurück. Schon beim Näherkommen merken wir, dass auf Omas Hof auch Fufu gestampft wird. Flo ist schon ganz neugierig darauf zu sehen, wie es gemacht wird.

»Sie haben riesige Fufustampfer«, sage ich zu Flo. »Die sind größer als du!«

Der ganze Hof hat sich in eine Küche unter freiem Himmel verwandelt. Vor dem Haus, das sich um die Ecke herum an unser Haus anschließt, sitzt meine Oma. Vor ihr steht ein hölzerner Trog. Immer wieder hebt sie einen weißen, rindenlosen Stock hoch und lässt ihn mit diesem *Dump* in das Gefäß fallen. Meine Oma kocht. Sie ist stark. Ich kann die Muskeln an ihren Armen sehen. Oma lacht uns beiden entgegen. Sie lässt sich aber überhaupt nicht aus dem Rhythmus bringen. Ununterbrochen arbeitet sie.

Wir lehnen das Schlauchboot an die Hauswand und hocken uns zu Oma. Jetzt sehen wir, dass sie mit der linken Hand den Teig, den sie stampft, ständig dreht und wendet. Ganz dicht saust der Stampfer an Omas Hand vorbei. Aber sie schlägt sich dabei nie auf die Finger. Ab und zu greift sie in einen Blechtopf neben sich und holt ein Stück weichgekochte Cassava heraus, die fast wie eine große Kartoffel aussieht. Rasch legt Oma es zu dem Teig in den Holztrog, wo das Stück sofort zerstampft wird.

Plötzlich steigt mir Fischduft in die Nase. Ich schaue mich um und sehe eine dünne Rauchwolke, die von einer Feuerstelle aufsteigt. Sie befindet sich unserem Haus gegenüber auf dem Sandboden. Die Feuerstelle ist aus drei zusammengestellten Steinen gebaut. Darauf steht ein großer Topf. Sein Deckel klappert leise vor sich hin. Wie ein Stern liegen Äste um den Topf herum. Sie werden zwischen den Steinen in die Mitte geschoben, wo sie dann verbrennen.

Tante Liz passt auf das Essen auf. Jetzt schiebt sie einen Ast weiter in die Mitte, weil sein Ende unter dem Topf schon verbrannt ist. Ich bekomme einen Riesenhunger.

Sogar Aba ist mit der Vorbereitung des Abendessens beschäftigt: Mit einem Stein zerkleinert und zerreibt sie Tomaten und gelbe Pfefferschoten auf einem tellergroßen Stein zu Brei.

Tante Liz hebt jetzt den Topf mit dem Fisch von der Feuerstelle und stellt eine Pfanne darauf. In das heiße Palmöl in der Pfanne streicht Aba ihren Gemüsebrei. Jetzt ist Oma mit dem Fufustampfen fertig. Sie deckt ein Tuch über den Teig, der inzwischen fast so groß wie ein Fußball ist.

Papa und John Kwame kommen aus ihren Häusern. Sie tragen einen Holztisch und stellen ihn unter das Palmendach. Dann decken sie Teller und für Flo und mich legen sie Löffel daneben. Oma gibt jedem von uns ein großes Stück Fufu auf den Teller. Tante Liz legt ein wenig Fisch dazu und gießt Soße darüber.

Wie lecker alles duftet!

Die anderen essen mit den Fingern. Sie formen ein wenig Fufu zu einem Bällchen. Dann drücken sie eine Vertiefung hinein und schöpfen damit die Soße.

Flo und ich probieren auch, die Fufubällchen zu formen. Es gelingt uns. Jetzt können wir so essen wie alle anderen.

Papa macht ein glückliches Gesicht. Endlich kann er sein geliebtes Fufu wieder essen. Ob Mama denn kein Fufu koche, fragt Oma. Wie sie sich das vorstellt! Wenn Mama in unserer kleinen Küche zu Hause Fufu stampfen würde, liefen sicher die Leute aus dem ganzen Haus zusammen und würden sich über den Lärm beschweren. Papa wird von Oma und Tante Liz richtig bedauert. Er sagt ihnen aber, dass er Kartoffelbrei esse, und der erinnere ihn ein wenig an Fufu.

Ich überlege schon die ganze Zeit, ob Oma und Tante Liz auch auf dem Hof kochen, wenn es regnet. Vielleicht unter dem Palmblattdach, unter dem wir jetzt sitzen? Ich frage sie einfach. Und zu meinem Erstaunen sagen sie ganz selbstverständlich: »In unserer Küche.«

»Schaut mal rein«, sagt Oma und deutet auf das Haus, das unserem gegenübersteht.

Das lassen wir uns nicht zweimal sagen. Flo und ich laufen hinüber und schauen hinein. Auf der rechten Seite ist ein Bretterverschlag, in dem ein Huhn sitzt und leise gackert. Auf dem Boden sehen wir sogar zwei Feuerstellen nebeneinander. Tassen, Teller und ein paar Schüsseln stehen schön aufgereiht auf einem Wandbrett. Ein großer Topf steht auf dem Boden. Flo guckt hinein. Es ist Wasser darin. Es gibt keinen Kühlschrank, keinen Elektroherd oder andere Küchenmaschinen.

Ich möchte wissen, was Flo denkt, und gucke ihn an.

»Das wäre nichts für meine Mutter«, sagte er. »Oma Grete hat sich gerade einen neuen Kühlschrank gekauft. Obwohl es bei uns doch längst nicht so heiß ist wie hier.« Dann hält Flo mich am Arm fest. »Du, Eric, in meinem Rucksack ist noch ein Glas mit selbstgemachter Marmelade von meiner Oma für deine Oma. Ich weiß gar nicht, wann ich sie ihr geben soll. Ob sie sich überhaupt darüber freut?«

»Bestimmt freut sie sich darüber, gib sie ihr doch jetzt gleich!«, rate ich ihm.

»Und was soll ich ihr sagen?«

»Von meiner Oma für dich!«, sage ich ihm. »Es ist doch ganz einfach.«

Wirklich, Oma freut sich riesig. Sie nimmt Flo sogar in den Arm.

Später sagt uns Papa, dass sich viele Leute in den Städten Ghanas ihre Küchen auch so einrichten wie wir in Europa. Doch in den Dörfern leben die meisten Menschen so wie Oma. Sie können sich in ihrem ganzen Leben keinen Kühlschrank leisten. So viel Geld verdienen sie nie.

»Aber unser Essen ist das beste auf der Welt!«, ruft er aus und bedankt sich bei allen drei Köchinnen.

Inzwischen warten schon viele Nachtwolken über der Meeresseite. Allmählich wird es dunkel. Der lange Tag am Wasser und das gute Essen machen uns müde. Bevor wir unter das Moskitonetz krabbeln, fragen wir Oma, ob sie morgen wieder auf die Farm gehen würde und ob wir sie begleiten dürften. Oma freut sich. Sie will vor Sonnenaufgang aufstehen und uns rechtzeitig wecken.

Im Regenwald

»Eric, wach auf! Deine Oma hat uns gerade gerufen.« Flo rüttelt mich wach. Ich öffne die Augen, um mich herum ist es dunkel. Wir krabbeln aus unserem Moskitonetz heraus und ziehen uns im Schein der Taschenlampe an. Flo jammert über den Sonnenbrand, den er sich gestern am Meer geholt hat. Davon wacht Papa auf. Er cremt Flo noch schnell den Rücken ein. »Du hast es gut«, beneidet mich Flo, »du kriegst keinen Sonnenbrand!«

Darüber bin ich auch sehr froh. Ich kann in der Sonne so lange herumlaufen, wie ich will. Meine braune Haut ist vor ihren sengenden Strahlen geschützt.

Wir verlassen unser Schlafhaus. Flo leuchtet mit seiner Taschenlampe über den Hof. Oma wartet schon auf uns. Sie reicht uns einen Becher mit Wasser. Unsere Wasserflaschen müssen wir auch noch auffüllen.

»Ihr werdet Durst bekommen«, sagt sie. »Heute ist ein besonders schwüler Tag. Vielleicht gibt es sogar ein Gewitter.«

Vor einem Gewitter haben wir keine Angst. Wir machen uns auf den Weg. Oma mit der leeren Blechschüssel auf dem Kopf geht voraus. Dann folgt Flo. Ich gehe als Letzter. Unser Weg führt uns vom Dorf am Meer weg. Es ist noch zu dunkel, um zu erkennen, wie die Landschaft aussieht.

Viele dunkle Gestalten begegnen uns. Sie kommen aus den anderen Höfen. Sie überholen uns und verschwinden im Dunkeln. Wie ich mir die Sonne herbeiwünsche! Wenn sie doch nur endlich aufginge!

Oma läuft vor uns her, ohne mit uns zu reden, ohne sich nach uns umzudrehen. Ihr Schritt ist flott, fast eilig. Der Boden fühlt sich wie weicher Sandboden an. An meine nackten Beine schlägt feuchtes Gras. »Wenn jetzt ein Löwe herausspringt!«, sagt Flo und dreht sich zu mir um.

»Oder dich beißt ein Skorpion«, sage ich, um ihm auch ein bisschen Angst zu machen.

Allmählich überzieht sich der ganze Himmel mit einem rötlichen Schimmer. Das eintönige Grau der Landschaft verwandelt sich in so viele blasse Grüntöne, wie ich sie noch nie in meinem Leben gesehen habe. Endlich bleibt Oma stehen und dreht sich zu uns um.

»Schaut, die Sonne!«, sagt sie.

Wir stehen still und gucken in Richtung Osten, wo es am hellsten ist. Noch ist von der Sonne nichts zu sehen. Aber auf einmal fangen die Vögel in den Büschen an zu singen. Ob sie die Sonne von ihrem hohen Ausguck auf den Zweigen schon entdeckt haben? Wie gebannt schauen Flo und ich in den Himmel. Auch Oma schaut in den hellen Streifen am Horizont. Alle drei warten wir auf die Sonne. Da kommt sie: Rot und rund erhebt sie sich über dem weiten Land. Der Tag ist da. Oma lacht uns an.

»Lasst uns weitergehen«, sagt sie und führt uns in das Buschland hinein, das wir jetzt gut erkennen können. Unser Pfad ist so schmal, dass wir immer noch hintereinander laufen müssen. Da erhebt sich vor uns ein eigenartiges Gebilde aus rötlicher Erde im Gras.

»Das ist bestimmt ein Termitenhügel!«, ruft Flo und schon läuft er in das hohe Gras. Ich laufe ihm nach.

»Kommt zurück«, ruft Oma sehr bestimmt. »Das ist ein Platz für Schlangen, nicht für Kinder!«

»Ich möchte doch nur mal …« Weiter kommt Flo nicht, denn Oma sagt noch einmal sehr deutlich: »Kommt zurück!«

Wir müssen zurückgehen. Oma duldet keine Widerrede. Wie streng sie sein kann, habe ich schon auf dem Hof bemerkt. Alle gehorchen ihr, auch John Kwame und Aba. Wenn Oma etwas wünscht, wird es gemacht. Niemand quengelt herum. Sie haben Respekt vor ihr.

»Oma hat Angst, dass uns eine Schlange beißt. Hier soll es welche geben«, sage ich.

»Ich möchte für mein Leben gern mal eine Schlange sehen, eine richtig gefährliche!«, sagt Flo.

»Und wenn sie dich beißt?«

»Ich renne vorher schnell weg.«

Oma hat gleich wieder ihren eiligen Schritt aufgenommen und wir müssen ihr folgen. Ich schaue noch einmal zu dem Termitenhügel. Er liegt jetzt schon ein Stückchen hinter uns. Wo Flo da wohl hingeraten wäre? In dem dichten, hohen Gras kann man doch nicht so schnell vor Schlangen flüchten!

Wir sind gewiss schon über eine Stunde gelaufen. Das weite Grasland an den Seiten unseres Pfades ist jetzt von allerlei Büschen bewachsen. An einigen Stellen ragen riesige Palmen in den Himmel. Doch den Regenwald sehen wir noch nicht. Immer höher steigt die Sonne. Wir spüren, wie ihre Strahlen uns wärmen. Der Boden wird jetzt immer feuchter. Manchmal müssen wir durch eine Pfütze waten. Dann wieder versinken wir fast im Schlamm. Die Büsche neben dem Pfad werden immer dichter, immer höher. Schlingpflanzen winden sich um abgestorbene Äste. Vereinzelt stehen hohe Bäume zwischen den Büschen. Wir laufen über Stämme, die jemand auf den schlammigen Weg gelegt hat. Oma geht natürlich auch darüber, dabei balanciert sie auf dem Kopf die große Blechschüssel. Das sieht lustig aus. Das Laub der Bäume über uns wird auch immer dichter. Ich kann die Sonne nicht mehr sehen. Wir sind eingehüllt von warmer, feuchter Luft. Oma geht jetzt nicht mehr so schnell. In dieser feuchten Schwüle können wir uns nur langsam bewegen.

»Eh, Flo, wir sind im Regenwald, im Urwald!«, rufe ich.

»Glaub ich auch«, sagt Flo.

Es wird nun schwieriger, sich den Weg durch die dichten Pflanzen am Boden zu bahnen. Der Pfad ist an einigen Stellen ausgetreten. Aber manchmal ist er nicht mehr zu sehen. Oma aber kennt den Weg.

Schimmert da nicht Wasser durch die Pflanzen? Dunkles Wasser? Ganz plötzlich stehen wir mitten im Wald vor einem See. Doch Oma sagt, das sei ein Fluss, der hier eine Biegung mache. Wir müssten auf ein Boot warten, das uns zum anderen Ufer brächte.

Wir setzen uns auf einen umgestürzten Baumstamm nah am Ufer. Um uns herum tropft, gluckert, piepst und knackt es. Wir schauen über uns in die hohen Bäume. Sie sind mit Moos und seltsamen Farnkräutern bewachsen. Das sieht schön aus. Aber könnte da nicht ein wildes Tier in den Ästen herumspringen oder auf uns lauern? Könnte da nicht eine wilde Affenhorde angeturnt kommen und ganz grässlich schreien wie im Dschungelbuch? Oder die Schlange Ka?

Oma sitzt ganz ruhig neben uns. Sie hat keine Angst. Sie wischt sich nur ständig die Schweißperlen von der Stirn. Ihr Atem geht schnell von dem langen Weg, den wir so eilig zurückgelegt haben.

»Gibt es hier eigentlich Affen?«, frage ich.

»Natürlich«, sagt Oma und zeigt plötzlich in das dichte Laub über uns. »Da!«

So angestrengt ich auch schaue, ich kann keinen Affen entdecken, Flo auch nicht. Nur ein Knacken in den Zweigen höre ich und dann ein leises Kreischen.

»Schau!«, ruft Flo jetzt ganz aufgeregt. »Direkt neben uns!«

Jetzt sehe auch ich das kleine Äffchen. Neugierig guckt es uns an und verschwindet auf einmal wieder im dichten Blätterwerk. So lange wir auch warten, es kommt nicht wieder. Dafür ist auf dem dunklen Wasser ein leises Plätschern zu hören. Kurz darauf taucht ein Boot auf. Zwei Kinder paddeln es. Es ist aus dunklem Holz und sehr schmal. Jetzt erkenne ich, dass es ein Einbaum ist. Das ganze Boot ist aus dem Stamm eines einzigen großen Baumes gebaut.

Oma steigt als Erste ein. Das Boot schwankt. Sie reicht Flo und mir den Arm und wir setzen uns. Die Kinder sind jünger als wir. Sie rudern uns langsam über den Fluss zum anderen Ufer hinüber. Von Krokodilen entdecken wir keine Spur. Oma sagt uns, dass es in diesem Fluss keine Krokodile gäbe. Ein bisschen sind wir enttäuscht. Aber so können wir die Hände im Wasser gleiten lassen, ohne Angst haben zu müssen.

Unser Boot legt an einer seichten Stelle an. Der Boden ist schlammig. Wir folgen Oma auf einem schmalen, oft ganz überwucherten Pfad weiter in den Regenwald hinein. Hier, auf dieser Seite des Flusses, habe ich das Gefühl, als wäre ich in einer anderen Welt. Vielleicht kommt ja das Boot nicht mehr, um uns abzuholen, und wir müssen für immer hier bleiben! Doch diesen Gedanken verscheuche ich gleich wieder, weil er mir ein bisschen Angst macht.

Flo zieht gerade eine armstarke Schlingpflanze zu sich her und versucht, daran hochzuklettern.

»Gleich wirst du Tarzan sehen!«, ruft er mir zu und nimmt einen kleinen Anlauf. Doch da biegt sich der Ast, an dem die Schlingpflanze hängt, weit herunter. Flo landet mit einem Satz mitten im dichten Gewächs auf dem Waldboden. Wir müssen lachen. Aber dann helfe ich Flo, sich aus dem dichten Geschlinge der Pflanzen zu befreien.

Oma ist schon ein Stück weiter gegangen. Plötzlich ruft sie uns ganz aufgeregt zu sich: Sie hat eine grüne Schlange entdeckt und schlägt mit einem Stock auf die Blätter um sich herum.

»Dann kriechen die Schlangen weg«, sagt sie. »Macht es auch so.«

Langsam nähern wir uns einer Lichtung. Das dichte, grüne Blätterdach verschwindet und der helle Himmel erscheint wieder über uns. Vor uns ragen schwarz verkohlte Baumstümpfe aus dem Boden. Dazwischen wächst frisches Grün. Ich erkenne auch ein paar Menschen, die gebückt zwischen den Pflanzen arbeiten und mit kleinen Hacken den Boden auflockern. Sie schauen auf, als wir kommen.

Oma begrüßt sie. Verwundert gucken sie Flo und mich an. Wir begrüßen sie auch. Ihre Gesichter werden freundlich. Oma erklärt ihnen, wer wir sind.

»Willkommen!«, rufen sie und setzen dann ihre Feldarbeit mitten im Regenwald fort. Nur ein Mann, der etwa so alt ist wie Papa, bleibt stehen und sieht uns nach. Als ich mich nach ein paar Schritten umdrehe, schaut er immer noch zu uns. Dann winkt er mit der Hand. Sind wir denn so etwas Besonderes für ihn?

Oma geht zu einem kleinen Unterstand. Er hat ein Dach aus Palmblättern auf vier Pfosten, genau wie auf ihrem Hof, nur kleiner. Sie setzt die Schüssel ab.

»Hier ist unsere Farm«, sagt sie und zeigt uns das Feld, auf dem wir Tomatenstauden mit vielen reifen Früchten sehen. Mitten im Feld steht ein riesiger Baum.

»Musstest du den Wald auch abbrennen, um dein Feld anlegen zu können?«, fragen wir Oma.

»Natürlich«, sagt sie, »alle machen es hier so. Aber ich habe vorher einen Graben um den Stamm des alten Baumes gezogen. Damit das Feuer ihn nicht angreifen konnte.«

Ich schaue mich um. Die Lichtung hat Platz für ein paar kleinere Felder. Auf der einen Seite wächst Zuckerrohr, weiter hinten erkenne ich Bananenstauden.

Oma steht schon zwischen ihren Tomaten und beginnt, sie zu pflücken und in die Schüssel zu legen. Die ganze Familie lebe von dem Verkauf der

Tomaten, hat Papa erzählt. Also leben die Familien der anderen Leute, die hier auf den Feldern arbeiten, auch von ihren Früchten. Doch sie haben dafür ein Stück Regenwald abgebrannt. Ich tröste mich damit, dass die Felder ja nicht so groß sind. Aber was ist, wenn die Leute hier das alle so machen?

Flo und ich helfen Oma, die reifen Tomaten zu pflücken. Es dauert nicht lange, da ist die Schüssel so voll, dass Oma einen kleinen Berg darauf bauen muss. Wir bringen ihr einen Eimer, der umgestülpt in dem Unterstand liegt. Auch er wird mit Tomaten gefüllt. Nur nicht so hoch, damit die Früchte nicht gequetscht werden.

Es ist sengend heiß. Auf dem Feld gibt es keinen Schatten. Die Sonne brennt auf uns herab. Die Luft wird immer schwüler und stickiger. Wolken von Insekten fliegen um uns herum. Sie setzen sich auf unsere nackten Arme und Beine. Wie wild schlagen wir um uns.

Wir sind froh, als Oma sich mit uns unter das Palmblattdach setzt, um zu verschnaufen. Wie gut, dass wir unsere Wasserflaschen dabeihaben! Oma sieht wieder so müde aus wie gestern, als sie von der Farm nach Hause kam. Sie legt sich einfach auf den Boden, deckt ein Tuch über ihren Kopf, damit die Moskitos sie nicht zu sehr stechen, und will ein wenig schlafen. Wenn sie wieder ausgeruht ist, wollen wir zurückgehen. Während Oma schläft, versuchen Flo und ich, die Mücken von uns abzuhalten. Die drückende Schwüle macht auch uns ganz müde.

Da taucht auf einmal der Mann, der uns vorhin so lange nachgeschaut hat, vor uns auf. Er gibt Flo und mir eine Stange Zuckerrohr.

»Ihr müsst den süßen Saft herauslutschen. Der macht euch wieder munter.«

Wir probieren es. Wirklich, ganz süßer Saft sammelt sich in meinem Mund.

Warum schaut er Flo nur dauernd so eindringlich an? Hat er noch nie einen weißen Jungen gesehen? Was will er von uns?

»Ich war in Düsseldorf«, beginnt der Mann plötzlich zu erzählen.

Flo reagiert sofort ganz erfreut.

»Wir kommen auch aus Deutschland«, sagt er, »aber nicht aus Düsseldorf. Wir kommen aus Bremen.«

»Bremen kenne ich nicht«, sagt der Mann. »Aber in Düsseldorf habe ich einen Freund, der sieht so aus wie du«, sagt er zu Flo. »Genauso blonde Haare hat er und deine blauen Augen! Als ich dich vorhin sah, dachte ich schon, Michael kommt zu mir in den Urwald. Den wollte er so gerne kennenlernen und ich musste ihm immer wieder davon erzählen. Michael ist zehn Jahre alt.«

»Wir sind auch zehn«, sagt Flo.

Der Mann kaut auf seinem Stück Zuckerrohr herum und scheint nachzudenken. Dann beginnt er wieder, langsam zu sprechen. »Deutschland ist schön«, sagt er. »Aber ich habe dort keine Freunde bei den Erwachsenen gefunden. Sie wollten mich nicht, die Deutschen. Ich war immer nur der Neger für sie. Ein Jahr lang habe ich ohne Arbeit in einem Haus mit vielen Afrikanern zusammengelebt. Michael kam manchmal mit dem Fahrrad vorbei. Er hat auch nie mit uns gesprochen, wenn wir vor der Haustür standen. Bis sein Fahrrad eines Tages in der Nähe unseres Hauses einen Platten hatte. Da habe ich Michael geholfen, den Schlauch zu flicken. Danach kam er häufiger vorbei. Ich musste ihm immer vom Urwald erzählen: von den Krokodilen, Löwen und Elefanten.« Der Mann schweigt nachdenklich.

»Warum bist du wieder nach Ghana zurückgekehrt?«, frage ich ihn.

»Ich habe keine Arbeit bekommen«, erzählt der Mann.

»Könnt ihr mich nicht in Ruhe lassen und zurück in euren Urwald gehen?« Dieser Satz steht auf einmal in meinem Kopf. Ich erinnere mich genau, wer ihn gesagt hat: Es war Heinrich, der Bauer aus Oma Gretes Nachbarschaft, als wir im Maisfeld spielten.

»Ich heiße Florian, aber alle sagen Flo zu mir«, sagt mein Freund.

»Ich bin Augustin. Ich freue mich, wenn wir uns noch einmal treffen«, sagt er und geht mit langen Schritten zu seinem Feld zurück.

Als Oma nach einer kleinen Weile aufwacht, machen wir uns auf den Heimweg. Flo und ich tragen den Eimer mit den Tomaten. Oma trägt die große Schüssel auf dem Kopf. Durch den Regenwald müssen wir langsam gehen. Wir passen auf, dass keine Tomate herunterfällt. Wir horchen, ob wir wieder ein Äffchen hören. Die Luft unter dem grünen Blätterdach ist jetzt noch drückender. Oma atmet ganz schwer.

Dann hören wir den Donner. Es ist erst ein leises Grollen in der Ferne. Aber von Mal zu Mal wird es lauter. So laut, wie ich noch nie einen Donner gehört habe. Endlich erreichen wir den Fluss. Wir sehen, dass schon einige Leute mit Körben und Schüsseln voller Tomaten und Pfefferschoten im Boot sitzen. Sie rufen uns. Oma sagt, wir könnten noch mitfahren, also beeilen wir uns. Oma steigt zuerst ein. Tief senkt sich das Boot ins Wasser. Die Leute rücken auf ihren Holzbänken zusammen. Jetzt ist nur noch für einen von uns beiden Platz. Flo kann mit dem Tomateneimer noch einsteigen. Der Rand des Einbaumes schaut nur noch zwei Finger breit über der Wasseroberfläche heraus. Ich passe da nicht mehr hinein! Das Boot würde untergehen. Aber Oma will nicht, dass ich allein zurückbleibe. Doch die anderen beruhigen sie. Das Boot würde mich ja gleich holen. Schließlich ist Oma einverstanden und ich setze mich zuversichtlich auf den feuchten Boden. Ich sehe zu, wie der Einbaum langsam um die Biegung des Flusses gleitet. Dann ist er verschwunden.

Einen Augenblick scheint es um mich herum ganz still zu sein. So, als halte der Wald den Atem an. Es tropft von den Blättern auf mich herab. Das hat es schon die ganze Zeit getan. Aber dann werden die Tropfen plötzlich dicker. Sie fallen auf das

Wasser, bilden große Kreise, die sich überschneiden. Und auf einmal bricht das Gewitter los. Es regnet, als ob im Himmel alle Schleusen geöffnet worden wären. Unvermittelt stürzt ein Regenguss herunter, wie ich ihn noch nie erlebt habe. Im Nu stehe ich bis zu den Knöcheln im Wasser. Der Donner grollt über mir. Die Blitze zucken über den Fluss. Ich bekomme riesige Angst. Ob das Boot schon auf der anderen Seite des Flusses angekommen ist? Sicher wollen die Kinder gleich wieder losfahren, um mich zu holen. Aber jetzt ist es viel zu gefährlich. Ich muss hier wohl länger warten.

Das Regenwasser rauscht den Fluss herunter. Wenn der Fluss anschwillt und ich ertrinke! Wenn ich vom Blitz erschlagen werde! Ich versuche, ein paar Schritte in den Urwald zu machen. Doch meine Sandalen saugen sich im Boden fest. Nur mit Mühe bekomme ich sie wieder heraus. Mein Herz klopft laut. Ich fühle mich so allein. In dem rauschenden Regen habe ich das Gefühl, in einem reißenden Fluss zu schwimmen. Um mich herum ist Wasser, nichts als Wasser.

Wenn Aba jetzt nur hier sein könnte! Dann wäre alles nicht so schlimm! Wir würden uns aneinanderkuscheln und das Gewitter zusammen abwarten. Aber Aba ist nicht da.

Was soll ich tun, wenn ein Blitz neben mir in einen der großen Bäume einschlägt? Ich habe keinen Schutz. Der Regen strömt auch durch das Blätterdach des Waldes. Da fällt mir der Unterstand auf Omas Farm ein. Ohne lange zu überlegen, wate ich aus dem Uferschlamm auf den Pfad zurück. Die Blätter und Ranken schlagen an meine Beine. Das Wasser rinnt an meinem Körper entlang. Ich laufe, so schnell ich kann. Über mir dröhnt der Donner, zucken die hellen Blitze. Dort vorn sehe ich die Lichtung. Aber ich bleibe im Schutz der Bäume stehen. Ich traue mich nicht, ganz ungeschützt durch die Felder zu laufen.

Ich kann gar nicht mehr denken vor Angst. Ich klammere mich an einer Schlingpflanze fest, um nicht den Halt zu verlieren. Hier wird mich niemand finden, denke ich. Wenn das Boot zurückkommt und ich nicht da bin, werden sie wieder wegfahren. Dann muss ich hier übernachten, bei den Schlangen, bei den Affen.

»Oma! Papa! Mama!« Ich schreie. Ich will die Angst loswerden! Jemand soll kommen und mich aus diesem schrecklichen Gewitter forttragen. Aber wer soll mich denn hier überhaupt hören?

Da läuft jemand durch den Regen auf mich zu. Wirklich! Es ist ein Mann. Er legt, ohne ein Wort zu sagen, seinen Arm um mich und zieht mich nah zu sich. Ich umschlinge ihn mit meinen Armen. Ich drücke mein Gesicht gegen sein nasses Hemd und schließe die Augen.

»Hab keine Angst, keine Angst haben«, sagt der Mann. Ich erkenne seine Stimme. Es ist Augustin. Bei ihm fühle ich mich sicher. Er bleibt bei mir. Als der Regen ein wenig nachlässt, rennen wir zu dem Unterstand auf seinem Feld. Hier können wir warten, bis das Gewitter vorüber ist.

»Kinder sind Botschafter«, sagt Augustin.

Was meint er damit? Erstaunt schaue ich ihn an.

»Als ich euch sah, musste ich an Michael denken«, sagt er. »Ihr habt mich daran erinnert, dass ich ihn nicht vergessen darf. Bevor ihr wieder nach Deutschland zurückfliegt, bringe ich euch ein kleines Geschenk für Michael.«

Die dunkle Wolkenwand über uns löst sich auf. Auf einmal bricht die Sonne durch. Um uns herum dampft die Erde. Augustin bringt mich zu der

Bootsanlegestelle zurück. Er wartet mit mir auf den Einbaum. Ich fahre mit den Kindern hinüber ans andere Ufer. Ich winke Augustin, bis ich ihn nicht mehr sehen kann. Auf der anderen Seite des Flusses sitzen Flo und Oma auf einem umgestürzten Baumstamm und warten auf mich. Wie froh ich bin, sie wieder zu sehen.

»Gut, dass du wieder bei uns bist«, sagt Oma.

»Das war vielleicht ein Gewitter!«, sagt Flo. »An deiner Stelle wäre ich vor Angst gestorben.«

»Bin ich auch«, sage ich und erzähle ihnen von meiner Angst und von Augustin, meinem Retter.

»Augustin«, sagt Oma nachdenklich.

»Was ist mit ihm?«, frage ich sie.

Oma sieht Flo und mich an.

»Augustin hat wenig gute Erfahrungen in Deutschland gemacht«, sagt sie.

Dann scheint Augustin also alles erzählt zu haben, was er in Deutschland erlebt hat. Wie ihn die Deutschen behandelt haben. Nachdenklich schaue ich Oma an. Sie legt Flos Hand in ihre braune Hand.

»Die Hautfarbe macht keinen Unterschied. Wir sind beide nass!«, sagt sie.

Wir lachen. Wenn es nur immer so leicht wäre

wie jetzt, Unterschiede einfach wegzulachen, weil sie unwichtig sind.

Oma steht von dem Baumstamm auf und streicht ihr nasses Kleid an den Beinen glatt.

»Die Gewitter kommen oft ganz plötzlich«, sagt sie.

Wir spüren, dass sie nicht mehr über Augustin sprechen will.

Flo und ich müssen ihr helfen, die Tomatenschüssel auf den Kopf zu stellen. Wie schwer sie ist! Nur mit großer Kraftanstrengung bekommen wir sie zu zweit hoch. Sie steht auf einem kleinen Ring aus Stoff, den Oma aus ihrem Tuch gedreht und sich auf den Kopf gelegt hat. Und wieder läuft sie den langen Weg vor uns her zum Dorf zurück.

Die kleinen Wasserpfützen auf dem Pfad haben sich nach dem Regen in knietiefe Schlammlöcher verwandelt. Wir durchwaten sie, rutschen ein paar Mal auf dem Schlickboden aus. Mit Mühe halten wir den Tomateneimer in der Hand. Doch Oma geht aufrecht. Sie hebt ihr Kleid, wenn sie durch die Wasserstellen watet. Auf dem ganzen Weg dreht sie sich nicht nach uns um. Das Gewicht auf ihrem Kopf ist zu schwer.

Endlich sehen wir die Hütten des Dorfes vor uns.

Ein paar kleine schwarze Schweine suhlen sich in den Schlammpfützen, die der Gewitterregen auch hier vor dem Dorf gebildet hat.

Dann kommen uns Papa und John Kwame entgegen.

Abas Geheimnis

Die nächsten Tage bleiben Flo und ich im Dorf. Wir sind fast immer am Strand. Dort können wir die Hitze am besten aushalten. Auch Oma bleibt im Dorf. Sie hat Arbeit in ihrer Schneiderwerkstatt.

Dafür verlässt Tante Liz mit Patricia auf dem Rücken frühmorgens den Hof und kommt am Nachmittag mit Tomaten und Feuerholz von ihrer Farm zurück.

Mit Papa zusammen haben Flo und ich einen Entschluss gefasst: Wir wollen Omas kleines Haus auf dem Hof weiß streichen. Nur muss Papa erst herausfinden, ob es in einem der Dörfer in der Nachbarschaft überhaupt Wandfarbe gibt. Wenn nicht, muss er sie aus Takoradi, der Großstadt, besorgen. Anstreichen macht Spaß und ich freue mich schon richtig darauf. Ich glaube, dass auch Oma froh sein wird, wenn ihr Haus wieder weiß und sauber aussieht.

In den letzten Tagen ist auch Aba öfter bei uns am Meer. Sie bringt ihre Freundin Elisa mit. Elisa ist lustig und mutig: Sie fährt mit dem Schlauchboot direkt in die starken Brandungswellen hinein. Elisa hat Flo schon ein paar Mal gesagt, dass sie seine helle Haut so schön findet. Ihr gefallen auch seine Haare und seine Augen. Ich hoffe, dass Flo diese Komplimente mag und sich mehr um Elisa als um Aba kümmert. Aba soll mich am liebsten von allen haben. Mich allein, so, wie ich sie mag.

Wenn Aba bei uns am Meer ist, habe ich keinen Wunsch mehr. Ich glaube, ich weiß jetzt, was die Leute meinen, wenn sie sagen: Sie sind glücklich. Dann möchte man, dass sich nichts mehr verändert. Alles soll so bleiben. Das weite, helle Meer mit dem lauwarmen Wasser und Aba in meiner Nähe. Aba mit ihrer dunklen Samthaut und den Funkelaugen. Auch Flo soll in meiner Nähe bleiben. Er hat gesagt, dass die Reise nach Afrika das größte und tollste Erlebnis in seinem bisherigen Leben sei.

Manchmal besuchen wir Oma in ihrer kleinen Schneiderwerkstatt. Omas Werkstatt liegt fast in der Mitte des Dorfes. Dort, wo die Frauen ihre Waren verkaufen: die Früchte aus ihren Farmen, Kleidung, Töpfe und allerlei Dinge, die man zum Leben braucht.

Eigentlich ist Omas Werkstatt nur eine Bretterbude. Sie ist nicht mal so groß wie ein Wohnwagen. Aber es ist eine ganz besondere Bretterbude. Ihre Wände sind innen mit lauter verschiedenen Stoffen ausgekleidet, die in wunderschönen Farben leuchten. Und vor diesen schönen Stoffen sitzt meine kleine Oma an ihrer Nähmaschine und näht.

Die Stoffe hat Oma natürlich an der Wand aufgehängt, damit die Leute sie auch gut sehen können und sich etwas von ihr daraus nähen lassen.

Jedes Mal, wenn wir bei Oma auftauchen, freut sie sich und zeigt uns, woran sie gerade arbeitet. Auch für Mama will sie ein Kleid nähen und eine Bluse für Flos Oma. Eine Bluse mit einem Stickmuster um den Hals, das Oma Grete so bewundert hat. Als Dankeschön für die selbstgemachte Marmelade. Aber dazu braucht Oma einen ganz besonders schönen Stoff. Den gibt es nicht im Dorf. Sie will ihn in der Großstadt Takoradi auf dem Markt kaufen. An einem der nächsten Tage wird sie dorthin fahren. Sie möchte uns gerne mitnehmen, damit wir den großen Markt auch einmal kennenlernen. Natürlich haben Flo und ich Lust dazu, mit Oma dorthin zu fahren.

Aba hat Omas Vorschlag mitgehört. Sie sagt, bevor wir nach Takoradi fahren, müsse sie uns unbedingt noch etwas Wichtiges sagen.

Als wir nach dem Schwimmen den Hof betreten, ist noch niemand von der übrigen Familie zu sehen. Aba zieht mich an der Hand in das Küchenhaus hinein. Flo soll auch mitkommen. Aber sonst darf niemand hören, was sie uns sagt. Aba tut sehr geheimnisvoll.

»Sie halten mich sonst für verrückt«, sagt sie.

Flo und ich hocken uns neugierig ganz dicht neben sie. Dann beginnt sie zu flüstern und schaut dabei immer wieder zur Tür hinaus, ob nicht doch jemand in den Hof kommt.

»Die Leute im Dorf haben große Angst vor Schlangen. Sie schlagen jede Schlange tot, die sie sehen. Auch wenn sie nicht giftig ist. Aber von meiner Lehrerin weiß ich, dass nicht alle Schlangen giftig sind. Vor allem nicht die kleinen grünen, die es hier in der Nähe gibt.«

Was soll denn daran so geheimnisvoll sein, denke ich.

»Ich will Schlangen dressieren. So, wie der Schlangenmann in der Stadt Takoradi«, sagt sie. »Einmal habe ich ihn gesehen. Er hat dort auf dem Markt eine große Schlange hypnotisiert. Dafür haben ihm die Leute viel Geld gegeben. Sicher ist er ein reicher Mann. Ich will auch reich werden«, flüstert Aba und lacht uns an.

Flo ist ganz begeistert. »Ich will auch eine Schlange dressieren«, sagt er. »Wo finden wir den Schlangenmann? Ich will ihn unbedingt sehen!«

»Nahe am Markt steht er«, sagt Aba. »Dort, wo die Busse und Buschtaxis ankommen. Ihr müsst aufpassen, dass ihr den Ton seiner Glocke hört.«

»Das werden wir bestimmt!«, sagt Flo. »Wir werden dir alles genau berichten.«

Draußen auf dem Hof sind Schritte zu hören. Aba steht vom Boden auf und macht sich an der Feuerstelle zu schaffen. So, als wenn überhaupt nichts Besonderes wäre.

John Kwame schaut in unser Haus herein. Ohne

auf seine Schwester zu achten, fragt er uns, ob wir heute endlich mit ihm auf den Fußballplatz kämen. Diesmal gehen wir mit, machen unser Versprechen wahr. Flo holt noch seine Kamera. John Kwame wünscht, dass wir ein paar Fotos von ihm machen. Aba legt die Hand auf den Mund, als wir uns von ihr verabschieden. Natürlich werden wir keinem etwas verraten, das ist doch Ehrensache.

Auf dem Weg zum Fußballplatz fotografiert Flo ein paar Geier, die auf einem Abfallberg sitzen. Er knipst, als sie die Flügel ausbreiten. Er knipst auch, als sie über den Sandweg davonfliegen. Das kann John Kwame nicht verstehen. Er möchte doch fotografiert werden und jetzt verschwendet Flo die Bilder mit diesen unnützen Vögeln. Da hilft es auch nicht, dass wir sagen, wir wollten sie zur Erinnerung fotografieren. Denn in Deutschland gäbe es keine Geier. John Kwame bleibt bei seiner Meinung.

Auf dem Fußballplatz angekommen, werden wir sofort von der ganzen Mannschaft umringt. Alle wollen sie ganz toll spielen und wir sollen sie dabei fotografieren. Ihr Lehrer ist der Schiedsrichter. Er pfeift das Spiel an.

Der staubige Sandboden wirbelt unter den

schnellen Füßen der Jungen auf. Sie flitzen hinter dem Ball her, John Kwame steht im Tor. Er ist wirklich ein guter Torwart. Kaum einen Ball lässt er durch.

Flo hat bald den ganzen Film verknipst. Nur ein Bild ist noch übrig. Das heben wir für John Kwame auf. Er will doch ein Foto, auf dem er mit dem Fußball in der Hand ganz allein zu sehen ist.

Am Ende hat John Kwames Mannschaft 3:1 gewonnen. Die Jungen kommen wieder zu uns. Sie wollen wissen, ob sie gut waren. Jetzt sollen wir mit ihnen spielen. Aber leider sind sie bei Flo und mir an die Falschen geraten. Wir halten nicht viel von Fußball. Handball ist schon eher unser Sport oder Schwimmen. Die Jungen wollen es nicht glauben. Sie sagen, dass sie gehört hätten, alle Deutschen seien gute Fußballspieler. Sogar der Lehrer ist von uns enttäuscht. Da kicken wir doch noch ein bisschen mit ihnen. Das können wir gerade noch.

Bevor wir zurückgehen, schießt Flo noch das Starfoto von John Kwame. Natürlich wollen alle anderen auch ein Einzelfoto. Aber unser Film ist voll.

Auf dem Nachhauseweg weicht John Kwame

nicht von Flos Seite. Vielleicht will er ihm etwas sagen, das ich nicht hören soll. Ich schlendere ein bisschen hinterher, verstehe aber doch, was er Flo fragt.

Ob es in Deutschland außer Anthony Yeboah auch noch andere schwarze Fußballspieler gäbe, will er wissen, und ob sie viel Geld bekämen?

»Alle guten Spieler können in Deutschland viel Geld verdienen«, sagt Flo.

»Ich wünschte, ich könnte auch nach Deutschland kommen und ein großer Fußballstar werden. Ich trainiere jeden Tag dafür«, seufzt John Kwame.

Dann bleibt mein Cousin stehen und sieht sich nach mir um.

»Die anderen Jungen wollen auch nach Deutschland. Aber sie haben dort keine Verwandten wie ich«, sagt er und strahlt mich dabei an.

Ja, natürlich, ich bin John Kwames Cousin, sein Verwandter. Und Papa ist sein Onkel. Er will also zu uns kommen. Ob Papa schon weiß, dass John Kwame nach Deutschland kommen will? Ob Oma das weiß?

»Es ist mein geheimster und größter Wunsch«, sagt er, bevor wir den Hof betreten.

Also weiß es von seiner Familie noch niemand,

außer Flo und mir. Wir werden seinen Geheimwunsch für uns behalten.

John Kwames erster Gang auf dem Hof ist zur Duschkabine. Aber nicht, wie ich glaube, um sich den Staub und den Schweiß vom Spiel abzuwaschen. Er kommt mit dem Eimer in der Hand wieder heraus und rennt zum Brunnen.

Wer wird wohl das Wasser für alle hier tragen, wenn John Kwame nicht mehr da ist?

Der Schlangenmann

Aba begleitet Oma, Flo und mich zur Hauptstraße. Dort hält das Auto, mit dem wir heute nach Takoradi auf den Markt fahren. Bevor Aba zurückgeht, legt sie wieder ihre Hand auf den Mund und sieht uns mit einem beschwörenden Blick an. Wir nicken. Aba versteht. Wir werden Oma nichts verraten.

Es sitzen noch ein paar Leute mit uns am Rand der Landstraße. Sie alle warten auf eine Transportmöglichkeit in die Stadt. Viele Autos fahren an uns vorbei, auch ein Reisebus. Er ist gut gefedert, sein Lack glänzt. Er sieht noch neu aus. So wie der Bus, mit dem wir die lange Fahrt von Accra bis hierher gemacht haben, an die Westküste Ghanas.

Als sich endlich unser Lieferwagen nähert, erheben sich die Leute vom Straßenrand.

Der Lieferwagen sieht nicht sehr vertrauenerweckend aus. Die Türen sind verrostet, die Lampen herausgebrochen. Alles an dem Auto scheint zu klappern. Aber es hält bei uns an, die Türen werden nach hinten geöffnet. Zu meinem Entsetzen sitzen schon viele Menschen auf der Ladefläche. Wir steigen trotzdem auf und finden einen Platz zwischen den eng aneinandergerückt sitzenden Leuten.

Kaum ist das Auto angefahren, wollen die Leute alle wissen, ob Flo und ich Brüder seien. Weil wir beide eine so helle Haut hätten. Sie glauben Oma einfach nicht, dass wir Freunde sind. Wir sähen uns doch so ähnlich. Das finden wir lustig.

Zu Hause, in Deutschland, bin ich immer der Schwarze. Und jetzt bin ich für die Leute ein Weißer. Denkt ihr nur, was ihr wollt. Ich bin Eric und habe eine braune Haut, weil mein Vater aus Afrika kommt. Weil meine Oma in Afrika wohnt, na und? Hier ist meine Haut für euch hell, weil meine Mama aus Deutschland kommt und eine Weiße ist.

Ich bin eine Mischung. Regt euch nicht auf, so ist das eben. Schließlich sagen die Leute: »Aha«, das wie *ähe* klingt, und geben sich zufrieden.

In dem Fahrzeug werden wir ganz schön durchgeschüttelt. Dazu sitzen wir noch auf einer Holzbank gegen die Fahrtrichtung. Noch ein paar Mal hält das Auto und noch mehr Leute steigen ein. Es wird immer enger.

Ich trage heute mein Schildkrötenhemd, weil es ja in die Großstadt geht. Ich sitze ganz nah bei Oma. Ich spüre ihre warme Haut. Manchmal legt sie ihre Hand auf meine und sagt: »Eric, es ist schön, dass du da bist!«

Jedes Mal, wenn sie das sagt, läuft ein Schauer über mein Herz, vor Freude.

Je mehr wir uns der Stadt nähern, desto dichter wird der Verkehr auf der Straße. Am Straßenrand laufen viele Menschen entlang. Sie tragen Körbe, Taschen, Stöcke, ja sogar Tische und Nähmaschinen auf dem Kopf.

Die ersten Häuser der Stadt sind zu sehen. Reklameschilder, Geschäfte, Werkstätten tauchen auf. Die Häuser haben mehrere Stockwerke. Fast wie in Deutschland, könnte man meinen. Wenn nur die Luft nicht so heiß und stickig wäre, die Sonne nicht so hell und die Menschen nicht alle schwarz wären.

Unser Fahrzeug hält an einem großen Platz, auf dem schon mehrere Taxis, Busse und Lieferwagen für Personen stehen. Wir befinden uns am Rand des riesigen Marktes von Takoradi. Rufe, Lachen, Schimpfen, Schreien – ein lautes Stimmengewirr tönt uns entgegen. Wir können den Marktplatz nicht überschauen, so groß ist er. Hier sitzen Frauen auf den Bürgersteigen hinter Körben voller Früchte, die sie verkaufen wollen. Junge Männer bieten Zeitungen, Plastiktüten, Socken, Unterwäsche und Kugelschreiber an. Sie wollen uns auch etwas verkaufen. Aber wir folgen Oma schnell nach, die wieder mit ihrem eiligen Schritt vor uns herläuft. Sie bahnt sich einen Weg zwischen den Menschen hindurch. Schnell schlüpfen wir hinter ihr durch die Gassen, die zwischen den Marktständen zur Mitte des Marktplatzes führen.

Plötzlich befinden wir uns nicht mehr unter freiem Himmel, sondern unter einem riesigen Dach. Darunter sind die Stände mit den Stoffen. Da sitzen die Schneider und Schneiderinnen und nähen an ihren Nähmaschinen, Stand an Stand. Oma steuert durch die Stände hindurch. Sie scheint genau zu wissen, wohin sie geht. Sie lässt sich durch nichts aufhalten.

An einem Verkaufsstand bleibt sie endlich stehen. Er ist über und über mit den herrlichsten Stoffen behängt. Aber seine Verkäuferin schläft. Sie sitzt in der Ecke auf einem Stuhl und atmet tief und gleichmäßig.

Oma betritt mit uns den Stand und schaut sich die Stoffe an. Sie nimmt sie zwischen die Finger und prüft, wie sie sich anfühlen. Ein Stoff mit einem Vogelmuster gefällt mir besonders gut.

»Der könnte deiner Mutter gefallen«, sagt sie zu mir.

Da beginnt die Frau in der Ecke zu gähnen und öffnet verschlafen die Augen.

Sie nennt Oma den Preis. Aber der ist ihr zu hoch. Dann verlässt Oma den Stand und wir folgen ihr.

»Ich werde wieder hingehen«, sagt Oma, und als wir ein paar Schritte vom Stand entfernt sind: »Sie wird weniger verlangen, wenn ich noch einmal komme.«

Aha, denke ich, Oma weiß, wie sie ein gutes Geschäft machen kann.

Jetzt aber betritt sie fast jeden Stand und betrachtet die Stoffe ausgiebig.

»Wenn das so weitergeht, werden wir den Schlangenmann nie finden«, sagt Flo.

»Ich könnte ja Oma fragen, ob wir ein bisschen allein hier herumlaufen dürfen«, sage ich.

»Los Eric, mach das!«, sagt Flo und knufft mich in die Seite.

Ich frage Oma. Sie hat Sorge, ob wir sie auf dem riesigen Markt wiederfinden würden. Sie glaubt, wir könnten uns verlaufen. Endlich gelingt es uns doch, Oma zu überreden, und wir machen einen Treffpunkt vor der Halle an einem Stand für Töpfe aus.

»Denkt daran, der Lieferwagen fährt um fünf Uhr zurück!«, sagt Oma, bevor wir allein losgehen.

Wir merken uns genau den Weg, den wir nehmen. Wir prägen uns die Stände ein, an denen wir vorbeigehen. Wir werden den Platz schon wiederfinden, ganz bestimmt. Schließlich gelangen wir wieder an den Punkt des Marktes, wo wir angekommen sind.

»Hat Aba nicht gesagt, dass der Schlangenmann an einer Bushaltestelle stehen sollte?«, fragt Flo.

Wir beschließen, ein wenig auf dem Busplatz herumzugehen. Überall stehen Menschen. Sie kaufen und verkaufen, erzählen sich etwas mit wilden Gesten. Plötzlich stehen wir vor einer Menschenansammlung. Das müssen wir genauer erkunden! Flo und ich versuchen, uns durch die Menschen hindurchzuzwängen. Jetzt hören wir auch das gleichmäßige Schlagen einer Glocke. Das muss der Schlangenmann sein! Die Menschen stehen dicht an dicht. Sie wollen uns nicht durchlassen, wollen alle zusehen. Doch wir schieben uns zwischen sie.

Die Schlange! Da ist sie! In der Mitte des in den Sand gezogenen Kreises liegt eine braune, zusammengeringelte Schlange. Nur ein Stück hebt sie den Kopf und wiegt ihn kaum sichtbar hin und her. Um sie herum springt der Schlangenmann. Er lässt die Schlange nicht aus den Augen. Er ist mit einem gelben Tuch um die Hüften bekleidet. Sein dunkler Oberkörper ist nackt und er trägt ein goldenes Band um die Stirn. Schön sieht er aus.

Mit einem Klöppel schlägt er pausenlos auf eine Blechglocke in seiner Hand. Zu dem metallisch klingenden Klang der Glocke ruft er ganz seltsam klingende Worte. Oder sind es nur Töne? Er scheint der Schlange zu befehlen, nur ja nicht auf ihn oder die Menschen loszuschießen und mit dem

Giftzahn zuzubeißen. Um den Zuschauern zu zeigen, wie mutig er ist, springt der Schlangenmann auf einmal ganz nah vor dem Kopf der Schlange herum und zeigt auf seine nackte Brust, auf sein Herz!

Hat die Schlange überhaupt einen Giftzahn? Ich beobachte ihren Kopf ganz genau. Erkennen kann ich nichts. Wie gebannt schauen die Menschen dem Schlangenmann und der Schlange zu. Kaum einer redet laut. Nur ein leises Raunen geht durch die Menge, wenn die Schlange ein wenig den Kopf bewegt.

Und so wie der Schlangenmann will Aba herumtanzen? Mit Perlenketten um die Fußgelenke, einem schönen Kleid und langen schwarzen Zöpfen? Ich sehe nicht mehr den Mann vor mir, schaue nur auf seine Füße. In meiner Vorstellung sind es Abas Füße, die da tanzen. Ganz leicht tanzen sie über den Platz. Und in der Mitte schlängeln sich drei grüne Schlangen. Sie schauen Aba ganz ruhig an, weil sie sie lieben. Sie haben keine Angst vor ihr und Aba hat auch keine Angst vor ihnen. Aber die Zuschauer sehen voller Spannung zu. Sie wissen ja nicht, dass Aba und die Schlangen Freunde sind.

»Guck mal, da legt jemand Geld in eine Büchse«, sagt Flo auf einmal. Ich wache aus meinem Traum auf. Ich sehe, wie ein Mann einen zusammengerollten Geldschein in eine Büchse auf dem Boden legt. Kaum jemand verlässt den Platz der Spannung. Alle bleiben so lange stehen, bis der Schlangenmann die Schlange plötzlich mit der Hand ergreift und in den geöffneten Korb hineinsetzt. Die Leute halten den Atem an, ich auch. Nur Flo hat überhaupt keine Angst.

»Die Schlange hat doch gar keinen Giftzahn mehr! Der Kerl ist doch ein Betrüger!«, ruft er erregt und schaut dem Schlangenmann ins Gesicht.

Ich bin froh, dass keiner von den Zuschauern Deutsch versteht, auch der Schlangenmann nicht. Aber einen Moment lang schaut er Flo doch so an, als ob er seine Worte ganz genau verstanden hätte. Dann legt er ein Tuch über den bereits zugedeckten Korb und sammelt die Geldbüchsen ein. Eilig verlässt er den Platz. Schnell verschwindet er zwischen den vielen Menschen. Wir können nicht sehen, wohin er geht.

»Wir suchen ihn, komm, Eric!«, ruft Flo.

Durch die sich auflösende Menge zieht er mich

hinter sich her. Was will er denn jetzt noch von dem Schlangenmann? Wir haben doch schon alles gesehen.

»Ich will sehen, ob die Schlange noch einen Giftzahn hat«, erklärt Flo.

»Da ist er!«, ruft er plötzlich aus und rennt auf einen blauen Lieferwagen zu. Ich erkenne den Schlangenmann jetzt auch. Er klettert gerade auf den Wagen. Den Korb hält er mit einem Arm fest an sich gedrückt.

Dann stehen Flo und ich vor ihm und schauen zu ihm hinauf. Wir sehen, dass noch mehr Leute auf den Wagen klettern und auf den dort eingebauten Holzbänken Platz nehmen.

»Frag mal!«, sagt Flo leise zu mir.

»Was soll ich denn fragen?«, flüstere ich.

»Na, ob wir mal in den Korb gucken dürfen!«

Da schaut uns der Schlangenmann an. Er hat bemerkt, dass wir über ihn reden. Besonders Flo schaut er an. Dann hebt er den Deckel des Korbes ein ganz klein wenig an und nickt meinem Freund zu. Flo ist nicht mehr zu halten. Er klettert auf den Lieferwagen.

»Komm hoch, Eric!«, ruft er mir zu.

Ein wenig zögere ich. Doch dann steige ich

auch hinauf und setze mich neben den Schlangenmann.

»Ich muss der Schlange erst ein Lied vorsingen, damit sie friedlich bleibt«, sagt der Schlangenmann. Wieder hebt er den Deckel hoch.

Jetzt fängt er an zu summen. Dabei schaut er Flo ganz fest in die Augen. Der schaut ihn wie gebannt an. Flo merkt nicht, dass noch mehr Leute einsteigen. Er rückt auch nicht zur Seite, als sie an ihm vorbeiwollen. Was macht der Schlangenmann mit meinem Freund?

Da setzt sich unser Auto in Bewegung. Wir fahren! Wir fahren über den Busplatz, dann eine Straße entlang, immer weiter.

»Flo, wir müssen aussteigen!«, schreie ich vor Schreck. Aber Flo tut so, als ginge ihn das gar nichts an. Ich rufe noch einmal. Bis ein Mann neben mir aufmerksam wird.

»Was hast du denn?«, fragt er.

»Halt«, rufe ich, »wir wollen nicht mitfahren, halt!«, rufe ich verzweifelt.

Der Mann begreift, dass ich aussteigen will. Er sagt es den Mitfahrenden. Die rufen dem Fahrer zu, dass er stoppen solle. Der versteht das natürlich nicht gleich. Er ist durch ein Glasfenster von uns getrennt. Aber dann hält er doch auf freier Strecke an. Ich rüttle Flo an den Schultern. »Wir müssen zurück«, schreie ich aufgeregt.

Ich weiß gar nicht, wie wir zurück auf den Marktplatz gekommen wären, wenn der freundliche Mann nicht mit uns ausgestiegen wäre. Er hat ein Taxi herbeigewinkt und dem Fahrer gesagt, wo er uns herauslassen sollte.

Im Taxi sagt Flo kein Wort. Ich glaube, der Schlangenmann hat ihn verzaubert. So, wie er das mit der Schlange macht. Erst als wir an dem Busplatz in Takoradi stehen, findet Flo wieder Worte.

»Ich habe gar nicht gemerkt, dass der Lieferwagen mit uns losgefahren ist«, sagt er.

»Das glaube ich auch. Komm, wir müssen zu Oma. Sie wartet bestimmt schon auf uns!«

Es ist bereits fünf Uhr, Abfahrtszeit für unseren Lieferwagen zurück in Omas Dorf. Oma wird warten! Oma wird böse sein, dass wir uns verspätet haben.

Vor Aufregung haben wir ganz vergessen, welchen Weg wir durch die vielen Marktstände genommen haben. Wir brauchen eine lange Zeit, bis wir endlich Oma auf einem Stuhl vor einem Topfladen sitzen sehen. Sofort werden wir von vielen Leuten umringt, die aufgeregt auf uns einreden. Es sieht so aus, als hätten sie alle auf unsere Rückkehr gewartet.

Ich sehe das große Paket auf Omas Knien. Darin ist sicher der Stoff für die Bluse und das Kleid.

Oma lacht uns nicht entgegen wie sonst, wenn sie uns sieht. Sie blickt uns ganz ernst an. So, als käme gleich ein Donnerwetter. Aber als wir neben ihr stehen, sagt sie gar nichts. Das ist noch schlimmer.

»Oma, wir haben uns verlaufen«, sage ich.

Flo steht kleinlaut neben mir. Von dem Schlangenmann dürfen wir ja nichts verraten.

»Es tut uns leid«, sagt jetzt auch Flo.

Ich glaube, Oma hat darauf gewartet, dass wir uns beide entschuldigen.

»Schön, dass ihr da seid«, sagt sie, »ich hatte große Angst, dass ihr mich nicht mehr findet.«

Alle Leute sehen uns an. Am liebsten möchte ich mich irgendwo verstecken. Oma steht von ihrem Stuhl auf.

»Es ist schon spät«, sagt sie, »hoffentlich bekommen wir heute noch eine Fahrgelegenheit nach Hause.«

Wir trotten schuldbewusst hinter Oma her. Vom Schlangenmann dürfen wir nichts sagen. Sonst würden wir Aba verraten. Zum Glück erwischen wir noch einen Platz in einem Taxi. Wir drücken uns auf die Rückbank. Oma lehnt sich zurück und schließt die Augen. Das Stoffpaket hat sie auf dem Schoß. Ich würde gerne wissen, ob sie den Stoff mit dem Vogelmuster gekauft hat. Aber das werde ich ja zu Hause erfahren.

Irgendwann sagt Flo leise zu mir: »Ob die Schlange nun einen Giftzahn hatte, haben wir leider nicht gesehen.«

»Ist jetzt auch egal«, sage ich, »Abas Schlangen sind ja nicht giftig.«

Oma rutscht während der Fahrt immer weiter zu mir herüber. Ihr Kopf liegt auf meiner Schulter. Sie schläft.

Ich gucke Omas Gesicht an. Ich sehe die vielen Falten, die sich in ihre Haut gegraben haben: vom vielen Arbeiten in der Sonne auf der Farm, vom Tragen, vielleicht auch von den Sorgen. Von Papa weiß ich, dass Oma sechs Kinder geboren hat. Nur drei von ihnen leben noch: Papa, Liz und Jerry. Die anderen sind an Malaria gestorben, als sie noch ganz klein waren. Bestimmt hat Oma da ganz viel geweint. Und als Opa gestorben ist, auch. Das ist schon lange her. Damals war Papa noch ein kleiner Junge.

Omas Kopf liegt auf den Schildkröten auf meinem schönen Hemd. Ich lege meinen Arm um sie und stütze sie.

Als wir dann spät auf dem Hof ankommen, schaut uns Aba gleich neugierig entgegen.

»Ja?«, fragt sie.

»Ja!«, sage ich.

Wir hoffen, bald eine Gelegenheit zu haben, mit Aba allein zu sein. Dann werden wir ihr alles erzählen.

Zum Glück sagt Oma nichts von unserer Verspätung zu Papa. Sie erzählt von ihrem günstigen Kauf und breitet den Stoff mit dem Vogelmuster vor uns allen aus.

»Sehr schön«, sagt Papa, »das ist genau das Richtige für Mamas Kleid und Oma Gretes Bluse!«

Dann stärken wir uns alle mit einer Portion Reis und gebratenen Hühnerfleischstückchen.

Am Termitenhügel

Noch bevor Aba am Morgen nach unserer Fahrt zur Schule geht, schaut sie in unser Schlafhaus. Da Papa heute die Farbe für Omas Haus kaufen will, ist er schon längst aufgestanden. Wir sind allein und können Aba alles erzählen.

»Er hat dich verzaubert«, sagt sie, als wir ihr von dem seltsamen Gesang des Schlangenmanns auf dem Auto erzählen. Aba glaubt, er wollte Flo seine Fähigkeiten zeigen, weil der ihn einen Betrüger genannt hat.

»Aber der hat doch bestimmt kein Deutsch verstanden«, sage ich.

»Bist du da sicher?«, fragt Aba nachdenklich. »Wenn er auch die Worte nicht verstanden hat, so konnte er den Sinn bestimmt begreifen«, sagt sie.

»Der Schlangenmann ist ein kluger Mann.«

Mir wird jetzt noch ganz unheimlich und Flo guckt mich erschrocken an.

»Es ist vorbei«, tröste ich ihn.

Dann muss sich Aba beeilen, rechtzeitig in die Schule zu kommen.

Am Nachmittag überredet mich John Kwame noch einmal, mit ihm auf den Fußballplatz zu kommen. Die Jungen würden alle auf mich warten, sagt er. Da muss ich gehen. Flo will ein bisschen faulenzen.

Vielleicht wartet er auch auf Abas Freundin. Ich bleibe ein ganze Weile auf dem Fußballplatz und spiele sogar wieder mit. Alle freuen sich darüber, wenn ich wie ein Wilder dem Ball hinterherrenne.

Nach dem Spiel laufe ich nach Hause. Vielleicht kommt Flo vor dem Essen mit mir ans Meer. Das wäre schön. Aber Flo ist nicht auf dem Hof. Elisa und Aba sind auch nicht da. Also laufe ich ans Meer und frage die Kinder, ob sie Flo und Aba oder Elisa gesehen hätten.

»Elisa holt Wasser«, sagen sie, aber keines von ihnen hat Aba oder Flo gesehen.

Ich laufe durch das Dorf zurück, an Omas Schneiderwerkstatt vorbei. Ich frage sie nach Flo. Doch auch sie weiß nicht, wo er sein könnte. Auf dem Dorfweg begegne ich John Kwame mit dem gefüllten Wassereimer auf dem Kopf. Auch er hat Flo nicht gesehen.

»Er wird die Gegend erkunden«, sagt er gelassen.

Aber warum sind Flo *und* Aba verschwunden? Was machen die beiden zusammen? Ich werde richtig eifersüchtig. Dabei weiß ich doch noch gar nicht genau, ob sie auch wirklich gemeinsam fortgegangen sind.

»Hoffentlich kommt er bald zurück«, sagt John Kwame, »es wird heute ein Gewitter geben.«

Ich schaue in den Himmel. Über dem Meer sammeln sich dunkle Wolken und ziehen zum Land auf unser Dorf zu. Aber vom Donner ist noch nichts zu hören. Irgendetwas treibt mich zu dem Pfad, auf dem wir mit Oma in den Regenwald gelaufen sind. Vor meinen Augen sehe ich den Termitenhügel und Omas erschrockenes Gesicht, als sie sah, wie Flo und ich dorthin rennen wollten. Sie hatte Angst wegen der Schlangen, die dort wohnen. Aba wollte doch Schlangen dressieren und Flo ist auch ganz wild darauf. Sie sind bestimmt dort.

Ich weiß, dass ich fast eine halbe Stunde bis zu dem Termitenhügel brauche. Trotzdem laufe ich den Pfad entlang, in das Grasland hinein. Die Landschaft glüht in der Abendsonne. Die Wasserlöcher auf dem Pfad sind jetzt fast ausgetrocknet. An den Rändern der kleinen Pfützen sitzen Trauben von schwarzen Insekten. Ich ekele mich. Immer wieder halte ich nach dem Termitenhügel Ausschau. Endlich erblicke ich ihn.

Ich renne schneller, beginne zu rufen: »Flo! Aba!«

Nichts rührt sich in dem meterhohen Gras. Da, taucht dort nicht Flos Kopf aus dem Gras auf? Die hellen Haare kann ich erkennen. Das muss Flo sein. Wieder rufe ich. Diesmal hat er mich gehört. Er winkt mir zu. Ich bahne mir einen Weg durch das Gras. Dann sehe ich auch Aba. Sie hockt hinter dem Termitenhügel und hält den Finger auf den Mund, als sie mich erblickt.

»Hör auf zu schreien!«, sagt sie leise.

»Wir warten auf die Schlangen«, flüstert Flo, »wir sind schon den ganzen Nachmittag hier.

Aber wenn wir laut sind, trauen sie sich nicht hierher.«

»Warum habt ihr nicht auf mich gewartet?«, fragt ich Flo leise.

»Aba wollte mit mir hierhergehen. Sie hat sogar einen Korb mitgebracht, weil sie eine Schlange fangen will«, flüstert er.

Ich schaue zu Aba hinüber. Sie blickt unverwandt in das hohe Gras. Dorthin, wo nach ihrer Meinung die Schlangen herauskommen müssten. Neben ihr steht ein kleiner, handgeflochtener Korb aus Palmblättern.

Warum hat Aba nicht *mich* mitgenommen? Wir zwei hätten allein hierherlaufen und gemeinsam auf die Schlange warten können, den ganzen Abend lang. Aba ist doch *meine* Freundin.

»John Kwame hat gesagt, es gibt noch ein Gewitter«, sage ich. Denn ich will nicht, dass Flo noch länger mit Aba zusammen hierbleibt. Ich möchte, dass beide jetzt mit mir zurück auf den Hof gehen.

»Es hat doch noch gar nicht gedonnert«, sagt Flo.

Doch der Himmel bezieht sich mehr und mehr mit dunklen Wolken. Aba scheint das nicht zu stören. Immer noch starrt sie wie gebannt in das Gras nahe dem Termitenhügel. Da fallen die ersten leichten Tropfen. Aba hebt den Kopf und schaut uns an, ihr Gesicht sieht ganz traurig aus.

»Sie werden heute nicht mehr kommen«, sagt sie enttäuscht und versteckt den Korb im Gras.

Dann fangen wir an zu laufen. Schon regnet es heftiger. Aber es ist nicht dieser Sturzbach wie im Regenwald. Trotzdem sind wir pitschnass, als wir endlich den Hof erreichen.

Dort warten sie alle auf uns.

»Wir waren im Busch«, sagen wir. Von den Schlangen erzählen wir kein Wort.

Unter dem Unterstand sehen wir einen großen Farbeimer. Papa strahlt: »Ich habe Farbe auftreiben können. Es gab leider nur diesen einzigen Eimer. Aber er reicht für Omas Haus.«

»Wir müssen ganz früh mit dem Streichen beginnen«, sage ich, »weil es ja sehr bald so schrecklich heiß wird.«

»Klar«, sagt Papa.

Als ich in dieser Nacht mit Flo in dem breiten Bett unter dem Moskitonetz liege, bringe ich es nicht fertig, ihm Gute Nacht zu sagen. Ich rücke ganz an den Bettrand und will Flo auf keinen Fall berühren. Ich bin sauer, traurig und eifersüchtig.

Weil er allein mit Aba weggegangen ist, ohne auf mich zu warten. Weil Aba ihn vielleicht lieber mag als mich.

»Was hast du denn, Eric?«, fragt Flo auf einmal richtig scheinheilig.

Was soll ich ihm denn jetzt sagen? Dass er Aba mag? Dass Aba ihn mag?

»Ach, nichts«, lüge ich. Er muss ja nicht merken, dass ich so eifersüchtig auf ihn bin.

»Ich finde Aba so süß«, sagt er auf einmal. »Wenn ich mir vorstelle, dass ich sie nie, nie mehr wiedersehe, dann möchte ich nicht mehr weg von hier.«

Ich halte die Luft an. Flo ist verknallt. In dasselbe Mädchen wie ich. Und er gibt es so ehrlich zu.

»Wir können Aba doch mal zu uns nach Deutschland einladen«, entfährt es mir.

»Glaubst du, dass sie kommt?«

»Klar, dann fahren wir zusammen zu Oma Grete und spielen im Maisfeld. Bestimmt kommt sie.«

»Wenn du so sicher bist, glaube ich es auch«, sagt Flo leise.

Es ist eine Weile ruhig zwischen uns, dann sagt Flo: »Schade, dass keine Schlange zu dem Termitenhügel gekommen ist. Nicht eine einzige. Aba glaubt, dass die dummen Leute sie schon alle totgeschlagen haben.«

Sicher noch nicht alle. Eine ganz schöne hat sich vielleicht noch im Gras versteckt. Sie kommt erst heraus, wenn Aba ganz allein am Termitenhügel ist. Oder wenn ich bei Aba bin. Aber das denke ich nur, sage es nicht laut.

Wieder ist es ruhig in unserem Schlafhaus. Ich habe mich schon gut daran gewöhnt, dass unser Haus keine Fenster hat, nur eine Luftluke in der Wand und eine Tür. Durch die kommt der kühle Luftzug von der Nacht herein.

Nur noch drei Nächte werden wir hier einschlafen. Dann fahren wir nach Accra zurück. Dort bleiben wir noch einen Tag bei Jerry. Dann geht es wieder nach Deutschland. Die Zeit bei Oma ist so schnell vergangen, finde ich.

Auf das Wellblechdach unseres Schlafhauses trommelt leise der Regen.

»Nacht, Eric«, sagt Flo.

»Nacht«, sage ich nun auch.

Abschied

Heute ist unser letzter Tag gekommen: mit Oma, mit Aba, mit Elisa, mit allen Kindern, mit John Kwame und mit Tante Liz.

In der Früh schauen wir uns mit Papa zuerst unser Werk an. Omas frisch gestrichenes Haus ist unser Geschenk an sie. Das Küchenhaus hat auch noch einen Anstrich bekommen können.

Omas Haus strahlt jetzt weiß und sauber. Die bunten Farben der Plastikschnüre in den Türen heben sich lustig von dem Weiß ab. Als wir gestern mit dem Streichen begonnen haben, waren fast alle Kinder bei uns und haben zugeschaut, auch Aba.

Ich wollte gleich feststellen, wen sie dabei länger anschaute: Flo oder mich. Sie redete mit uns und lachte uns beide an. Am Schluss, als wir mit dem Streichen fertig waren, sollten wir uns im Duschraum neben sie hocken. Sie wollte uns die Farbspritzer vom Gesicht waschen. Aba nahm sich viel Zeit, um an meinem Gesicht mit dem Waschlappen herumzustreicheln. Obwohl das bisschen Farbe doch schon längst abgewischt war. Ich glaube jetzt, Aba mag mich doch ein wenig lieber als Flo.

Oma kann es noch gar nicht richtig fassen, dass sie jetzt in einem so schönen Haus wohnt.

»Es ist viel zu gut für so eine alte Frau wie mich«, sagt sie. Aber ihr Gesicht strahlt vor Stolz.

Heute Abend will sie ein Abschiedsfest für uns geben, mit gutem Essen und Tanz. Viele Leute aus dem Dorf sind eingeladen.

Als Oma später aus ihrer Schneiderwerkstatt kommt, zeigt sie uns das Kleid für Mama und die Bluse für Flos Oma. Auf ihrem Kopf trägt sie ein kleines Stoffbeutelchen wie eine Krone. Flo und ich packen die Geschenke in unsere Reisetaschen.

Papa ist wieder zu seinen Freunden gegangen. Sie wollen heute Abend zum Tanz trommeln und dafür muss er noch ein wenig üben.

Oma winkt uns zu sich. Neugierig setzen wir uns neben sie.

»Ihr seid enge Freunde«, sagt sie. Dabei sieht sie mich und Flo eindringlich an. Dann hebt Oma langsam das Beutelchen von ihrem Kopf. Sie legt es auf ihren Schoß und knüpft es auf. Gespannt gucken wir zu, wie sie mit ihrer schmalen Hand zwei kleine Figuren aus Bronze herausholt und auf ihre Knie setzt.

»Schildkröten!«, rufe ich aus. Sie sind nicht größer als unsere Handteller.

»Für euch, weil sie kluge Tiere sind. Immer, wenn ihr sie anschaut, werdet ihr euch daran erinnern. Die Schildkröten sind so klug, dass sie sogar den starken Elefanten überlisten.« Oma knüpft ihren Beutel wieder zu. Und dann erzählt sie uns die Geschichte von der listigen Schildkröte und dem starken Elefanten. Die haben zusammen einen Wettlauf gemacht. Die Schildkröte war natürlich der Sieger, denn sie hatte alle ihre Verwandten auf der Rennstrecke ins Gras gesetzt.

Jedes Mal, wenn der Elefant angehetzt kam und hochnäsig rief: »Schildkröte, wo bist du?«, sagte eine der Verwandten: »Ich bin schon lange vorbei!« Das wunderte zwar den Elefanten, aber er dachte nur noch an seinen Sieg. Schließlich rannte der Elefant so schnell, bis er keine Kraft mehr hatte und tot umfiel.

Oma erzählt die Geschichte spannend, indem sie dabei ihre Stimme verstellt. Natürlich ahnen wir das Ende schon, weil wir ja die Geschichte vom Wettlauf zwischen dem Hasen und dem Igel kennen.

Ich kann Oma stundenlang zuhören, wenn sie Geschichten erzählt, aber jetzt muss sie das Essen für heute Abend vorbereiten. Flo und ich helfen ihr dabei.

Kaum sind wir damit fertig, erscheint plötzlich Augustin.

»Schade, dass ihr schon abfahren müsst«, sagt er. »Ich habe heute noch schnell den Brief an Michael geschrieben. Nur die Briefmarke fehlt noch.«

»Die kleben wir zu Hause auf«, sagt Flo und nimmt den Brief entgegen.

Dann kramt Augustin etwas aus seiner Hosentasche. Es sieht aus wie ein kurzer, schwarzer Stock.

Erst beim näheren Hinsehen merke ich, dass es ein geschnitztes Krokodil ist. Wir sollen es für Michael nach Deutschland mitnehmen. Augustin streichelt das Krokodil liebevoll.

»Ich habe es für meinen Freund in Deutschland geschnitzt. Er soll mich nicht vergessen.« Dann reicht er mir das Krokodil. »Du bist mein Botschafter, Eric!«, lacht Augustin.

Ich nicke mit dem Kopf. Dabei denke ich daran, wie Augustin im Gewitter zu mir gelaufen kam und den Arm um mich legte. Ich mag ihn.

Oma lädt Augustin zum Essen ein. Doch er hat schon eine Verabredung.

Augustin verabschiedet sich von uns. Ich halte das Krokodil noch immer in meiner Hand. Ich streiche über das glatte Holz, die eingeschnitzten Kerben. Ich stelle mir vor, wie sich Michael freut, wenn er das Paket in Düsseldorf öffnet und das Geschenk aus Afrika findet.

Alle sind gekommen, um unseren Abschied zu feiern: die Erwachsenen, die Kinder. Sie haben sich kleine Bänke oder Hocker mitgebracht. Wir sitzen in großer Runde vor Omas schön gestrichenem Haus. Auch der Dorfchief ist gekommen. Er ist so etwas wie der Bürgermeister des Dorfes. Natürlich hat er den Ehrenplatz neben Oma eingenommen. Der Chief hat ein großes, buntes Tuch um seinen Körper geschlungen. Er sieht aus wie ein Römer.

Oma trägt heute Abend wieder das Schildkrötenkleid. Es ist wirklich ihr Festkleid.

Jetzt wird das Essen aufgetragen. Es gibt gebratenes Hühnerfleisch und Erdnusssoße zu Fufu. Ein paar Frauen haben den ganzen Nachmittag Fufu für das Fest gestampft. Die Hühner hat Papa gekauft. Für so viele Gäste muss schließlich gut gesorgt werden. Und es gibt auch Palmwein! Flo und ich dürfen heute ein wenig davon kosten. Doch unseren Durst müssen wir mit Wasser oder Kokosmilch stillen.

Nachdem wir alle satt und zufrieden sind, fangen die Trommler an, auf ihren großen, mitgebrachten Instrumenten zu schlagen. Papa sitzt zwischen ihnen. Er lacht mir zu, schlägt die Trommel mit den Händen. Ihr lautes Dröhnen erfüllt die Luft. Der Hof ist wieder in rötliches Licht getaucht wie bei unserem Ankunftsabend.

Die Leute beginnen, sich nach dem Trommelrhythmus zu bewegen. Die Kinder fangen als Erste an zu tanzen. Dann beginnen auch die Frauen und die Männer. Sie tanzen im Kreis, einer neben dem anderen. Flo, Aba, John Kwame und ich tanzen im Kreis. Wir machen die gleichen Bewegungen wie die anderen.

Ich wundere mich über Flo. Wenn wir zu Hause in der Schule ein Tanzfest haben, bleibt er am Rand stehen. Er schaut immer nur zu, wie die anderen tanzen. Hier tanzt er mit. Er streckt seinen Po genauso heraus wie die anderen. Dabei stampft er ebenso mit den Füßen auf den Sandboden und bewegt seinen Körper nach den Trommelrhythmen wie alle.

Der Kreis tanzt an den Trommlern vorbei. Jeder, der gerade an ihnen vorbeitanzt, tritt aus dem Kreis heraus und tanzt auf die Trommler zu. Es sieht wie eine kleine Extraeinlage für sie aus. Jetzt ist Oma an der Reihe, meine kleine Oma! Sie bewegt ihre Arme wie Flügel. Ihre Füße scheinen bei den schnellen kleinen Schritten kaum den Boden zu berühren. Ihren Po streckt sie den Trommlern entgegen. Sie kann damit sogar im Takt wackeln. Alle lachen. Papa trommelt besonders laut, als seine Mama vor ihm tanzt.

Wenn es darum ginge, mit dem Elefanten um die Wette zu tanzen, würde Oma gewinnen, wie die Schildkröte. Obwohl sie doch schon so alt ist. Obwohl sie vor Müdigkeit einschläft, wenn sie den Weg zur Farm gelaufen ist. Meine Oma kann tanzen!

Einen Augenblick lang stelle ich mir Flos Oma hier vor. Wie ich sie kenne, würde sie mittanzen.

Sie würde bestimmt versuchen, es meiner Oma nachzumachen. Oder würde sie sich vielleicht doch schämen, ihren Po so herauszustrecken und mit den Hüften zu wackeln?

Meine Oma tanzt wieder in den Kreis zurück. Jetzt sind wir an der Reihe: Aba, John Kwame, Flo und ich. Alle klatschen uns zu. Ich schiele während des Tanzes zu Aba. Sie hat ein rotes Kleid mit weißen Mustern an. Sie trägt rote Perlen im Haar und eine weiße Perlenkette um den Hals. Die Perlenkette hüpft an ihrem Hals herum, während sie sich bewegt. Manchmal stoßen wir beim Tanzen aneinander. Dann spüre ich ihre heiße Haut.

Aba reiht sich als Erste von uns wieder in den Kreis. Wir folgen ihr. Während die anderen alle weitertanzen, sehe ich auf einmal, wie sich zwei Geier auf unserem Schlafhausdach niederlassen. Sie erheben sich aber gleich wieder und fliegen davon. So, als wollten sie nur einmal kurz schauen, was es denn heute in ihrem Dorf für ein Fest gäbe.

Die erschöpften Trommler legen eine kleine Pause ein. Als die Frauen Palmwein ausgeben, hat Flo auf einmal eine Idee: »Kommt, wir laufen zum

Meer!«, ruft er. »Lasst uns zuschauen, wie die Sonne untergeht. Es ist unser letzter Abend in Afrika!«

Aba und John Kwame wollen mitkommen. Wir verlassen den Hof und laufen zum Strand. Die Sonne ist schon fast in den Fluten versunken. Nur ein schmaler Streifen ihres Kreises steht noch auf den Wellen und beleuchtet sie glutrot.

»Wenn die Sonne untergeht, darf man sich etwas wünschen«, sagt Aba, »aber wir müssen uns an den Händen halten und schweigen.«

Wir fassen uns an den Händen. Flo und ich stehen in der Mitte. Aba hält meine Hand. Um den Kreis zu schließen, streckt sie ihre Hand John Kwame entgegen. Da sehe ich Flos trauriges Gesicht. Sicher möchte er auch Abas Hand spüren wie ich.

»Flo, geh zwischen John Kwame und Aba«, sage ich. »Zwei Geschwister dürfen beim Wünschen nicht nebeneinander stehen.«

»Stimmt«, sagt er. So stehen wir und warten, bis der Sonnenball ganz untergegangen ist.

Ich wünsche mir, dass Aba bald zu uns nach Deutschland kommt, und dass sie mich von allen am liebsten mag. Und dass ich Oma bald wieder besuchen kann. Hoffentlich gehen alle meine Wünsche in Erfüllung. Was die anderen sich wünschen, glaube ich zu erraten. Ich sehe, wie Flo ganz fest Abas Hand drückt. Ich sehe auch, wie Aba uns alle anschaut. In ihren Augen sitzt wieder das Geheimnis. Ist es das Geheimnis der Schlangen?

Und John Kwame? Er wünscht sich bestimmt, auch ein großer Fußballstar aus Ghana zu werden. Denn ich sehe in meiner Vorstellung einen Fußball über seinem Kopf schweben.

Die Wellen umspülen unsere Füße, als die Sonne gerade hinter dem Meer versunken ist.

Morgen sind wir nicht mehr hier. Aber unsere Gedanken werden noch lange hierherfliegen, von Deutschland nach Afrika.

Und von Afrika nach Deutschland auch.

Das weiß ich ganz sicher.

Inhalt

Andreas Venzke

Carlos kann doch Tore schießen

Mit Bildern von Catherine Louis
72 Seiten (ab 8), Gulliver TB 78988

Carlos spielt Fußball und er spielt gut. Er will ein großer Fußballer werden, wie Pelé. Heimlich träumt er davon, dass ihn eines Tages ein berühmter Verein in São Paulo übernimmt. Doch in letzter Zeit will es nicht mehr klappen mit dem Toreschießen. Was ist los mit Carlos? Alle sind ratlos: der Trainer, die Eltern, die Freunde. Nur Opa Ruben weiß Rat …

Hélèna Villovitch

Ferdinands klitzekleine Superkräfte

Aus dem Französischen von Anja Malich
Mit Bildern von Sabine Büchner
Roman, 142 Seiten (ab 9), Gulliver TB 74531

Ferdinand hat es gut getroffen: Obwohl er mit seinem Opa schon wieder umziehen musste, findet er die neue Schule super. Denn er hat bereits zwei Freunde gefunden. Babouche, der aus heiterem Himmel die merkwürdigsten Wörter herausbrüllt, und die kleine Gaufrette, die zwar keinen Ton sagt, Ferdinand dafür aber ganz lieb anstrahlt. Und was keiner weiß: Ferdinand besitzt Superkrafte – wenn auch nur klitzekleine. Als die Direktorin damit droht, seine chaotische Klasse aufzulösen, will er das um jeden Preis verhindern …

www.beltz.de
Beltz & Gelberg, Postfach 10 01 54, 69441 Weinheim

Christina Erbertz

Freddy und der Wurm

Mit Bildern von Maria Karipidou
Roman, 191 Seiten (ab 8), Gulliver TB 74521

Der elfjährige Freddy hat einen Wurm auf der Schulter. Einen, der aussieht wie ein Spielzeug. Keiner, außer Freddy, kann ihn sehen. Deswegen halten ihn alle für verrückt, wenn er mit ihm spricht – auch Ira aus der Klasse über ihm. Dabei ist sie selbst komisch, weil sie mit gar keinem redet. Als an ihrer Schule Klassenarbeiten zerstört werden, hat der dicke Herr Schulze-Kiefer eine geniale Idee. Können Freddy und Ira den Fall gemeinsam lösen und vielleicht sogar Freunde werden?

Jenny Robson

Tommy Mütze

Aus dem Englischen von Barbara Brennwald
Roman, 88 Seiten (ab 8), Gulliver TB 74454

Als Tommy neu in die Klasse kommt, verschlägt es selbst Doogal und Dumisani die Sprache. Denn Tommy trägt eine Wollmütze, die ihm über das ganze Gesicht reicht. Und die nimmt er noch nicht einmal beim Sport ab. Sehr merkwürdig, meinen Doogal, Dumisani und ihre Klassenkameraden und lassen sich alles Mögliche einfallen, um herauszufinden, was es mit der Mütze auf sich hat.

GULLIVER www.beltz.de
Beltz & Gelberg, Postfach 10 01 54, 69441 Weinheim

Eoin Colfer

Tim und das Geheimnis von Knolle Murphy

Aus dem Englischen von Brigitte Jakobeit
Mit Bildern von Tony Ross
104 Seiten (ab 8), Gulliver TB 74119

Tim und sein Bruder Marty können es nicht fassen: Sie sind dazu verdonnert, einen Teil der Sommerferien in der Bücherei zu verbringen. Ausgerechnet dort, wo Knolle Murphy, die strenge Bibliothekarin und der Schrecken aller Kinder, unbarmherzig herrscht. Kaum ist ein Kichern zu hören, zückt sie auch schon ihre gefürchtete Knollenknarre. »Nicht mit uns«, beschließen Tim und Marty …

Terence Blacker

Zauberhafte Miss Wiss

Der erste Band der komischen Miss Wiss-Abenteuer

Mit Bildern von Tony Ross
Aus dem Englischen von Anu Stohner
80 Seiten (ab 8), Gulliver TB 78979

Natürlich ist eine hexende Lehrerin erst ein bisschen unheimlich. Aber bald merkt die dritte Klasse, wofür Miss Wiss alles gut ist. Sie hilft zum Beispiel gegen garstige Schulräte. Oder gegen schrecklich strenge Eltern. Dass es ein paar eifersüchtige Lehrerkollegen gibt, die Miss Wiss wieder loswerden möchten, ist schlimm. Aber vielleicht weiß sie ja auch dagegen ein Mittel.

Klaus Kordon

Mein Freund Ringo

Mit Bildern von Philip Waechter
Roman, 80 Seiten (ab 8), Gulliver TB 78438

Seit Tim in die dritte Klasse geht, fährt er jeden Morgen mit der S-Bahn zur Schule. Dort trifft er seinen Freund, den Straßenmusikanten und Puppenspieler Ringo. Aber mitten im Winter ändert sich alles, denn Ringo wird plötzlich krank und braucht Hilfe. Tim weiß, dass er allein wenig ausrichten kann. Aber wie soll er es anstellen, dass die Erwachsenen eingreifen?

Nikola Huppertz

Biete Bruder! Suche Hund!

Mit Bildern von Michael Bayer
Roman, 144 Seiten (ab 8), Gulliver TB 74353

Plötzlich ist Jannes größter Traum, einen Hund zu haben, zum Greifen nah: Denn ihre Freundin verreist und sucht eine Wochenendherberge für den Dackel Trinchen. Jannes Eltern jedoch stellen sich quer. Janne sieht nur einen Ausweg: Sie muss Trinchen heimlich zu sich holen. Doch schon bald stecken die beiden in einem haarsträubenden Abenteuer mit Geheimagenten, fiesen Entführern und mysteriösen Nachbarn …

GULLIVER www.beltz.de
Beltz & Gelberg, Postfach 10 01 54, 69441 Weinheim

Marianne Musgrove

Jules Wunschzauberbaum

Aus dem Englischen von Gabriele Haefs
Bilder von Eva Schöffmann-Davidov
Roman, 144 Seiten (ab 8), Gulliver TB 74212

Jule ist eine wahre Sammlerin: 143 Radiergummis, 51 Muscheln und 67 gestempelte Busfahrkarten hütet sie wie einen Schatz in allerlei Kisten und Schachteln. Aber ihre größte Sammlung sind die Sorgen, die sie zwicken, und das hat Jule durch und durch satt. Doch dann macht sie eine unglaubliche Entdeckung …

Marianne Musgrove

Als Opa alles auf den Kopf stellte

Aus dem Englischen von Gabriele Haefs
Mit Bildern von Martina Badstuber
Roman, 144 Seiten (ab 9), Gulliver TB 74322

Seit Opa von der Leiter gefallen ist, steht die Welt Kopf. Das Bügeleisen liegt im Gefrierschrank, dafür gammeln die Pommes in der Kammer vor sich hin. Und dann will Opa auch noch mitten in der Nacht zum Baden ans Meer! Kenzie und ihre Schwester haben alle Hände voll zu tun, Opa in Schach zu halten. Niemand darf was wissen, denn: Was soll aus den beiden vollwaisen Mädchen werden, wenn Opa ins Heim muss?

GULLIVER

www.beltz.de
Beltz & Gelberg, Postfach 10 01 54, 69441 Weinheim

Klaus Kordon

Die Reise zur Wunderinsel

Mit Bildern von Jutta Bauer
Roman, 184 Seiten (ab 8), Gulliver TB 74105
Ebenfalls als E-Book erhältlich (74552)

Die Ärzte glauben nicht mehr an Silkes Heilung. So beschließen die Eltern, ihrem Kind den allergrößten Wunsch zu erfüllen – mit einem Segelschiff in die Südsee zu reisen. Mit der *Oma Breuer* stechen sie in See. Sie geraten in wilde Stürme, ein blinder Passagier sorgt für Aufregungen und auf einer unbewohnten Insel verbringen sie sechs wunderschöne Wochen. Dort passiert dann etwas, das allen wie ein Wunder vorkommt …

Gabi Neumayer

Der Schatz des Listigen Lars

Mit Vignetten von Alexander von Knorre
Roman, 285 Seiten (ab 9), Gulliver 74520
Ebenfalls als E-Book erhältlich (74543)

Tief im Vergessenen Meer liegt Saphira, die Insel der Piraten. Obwohl es dort niemanden mehr zum Überfallen gibt, träumen Mick, Lili, Gordon, Stevie und Susa von einem wilden Piratenleben auf hoher See. Als Mick die Schatzkarte des Listigen Lars findet, um den sich auf der Insel allerlei Gerüchte ranken, und Lili ein altes Schiff erwirbt, sind die Sommerferien gerettet. Doch die Freunde ahnen nicht, was für ein Abenteuer ihnen bevorsteht und welche Gefahren das Vergessene Meer birgt …

GULLIVER www.beltz.de
Beltz & Gelberg, Postfach 10 01 54, 69441 Weinheim